La Bible pour les petits

ISBN : 0 7460 4739 8
Pour le Canada : publié par les éditions Héritage, inc.
ISBN : 2 7625 1406 1

Imprimé en Espagne.

La Bible pour les petits

Adaptation : Heather Amery

Illustrations : Linda Edwards

Maquette : Amanda Barlow

Rédaction : Jenny Tyler

Traduction : Christine Sherman

L'Ancien Testament

Le Nouveau Testament

La création du monde

Il y a très, très longtemps, le monde n'existait pas encore, ni le ciel, ni le soleil ou les étoiles, ni même le jour ou la nuit. Il n'y avait qu'un grand tourbillon d'eau dans le vide immense et noir. Dieu alors créa la lumière, et ce fut le premier jour.

Le deuxième jour, Dieu créa le ciel. Sous le ciel, ne se trouvaient que les eaux. Dieu rassembla les eaux pour faire la mer. Les continents apparurent. Dieu ordonna à la terre de produire toutes espèces d'arbres et de plantes. Ce fut le troisième jour.

Le lendemain, Dieu mit le soleil dans le ciel pour éclairer le jour, et la lune pour illuminer la nuit. Le cinquième jour, Dieu ordonna à la mer de se remplir de toutes sortes de créatures et fit voler les oiseaux dans le ciel. Ensuite, il les bénit et leur dit d'avoir des petits et de se répandre partout dans le monde.

Le sixième jour, Dieu créa toutes les créatures vivant sur la Terre. Il prit une poignée de poussière et modela la forme d'un homme. Il lui insuffla la vie. Ce fut le premier homme. Dieu l'appela Adam. Pour qu'il ne soit pas seul, Dieu créa la femme. Il l'appela Ève.

En six jours seulement, Dieu créa le monde tout entier, les plantes, les oiseaux et autres animaux, et les premiers hommes, et il vit que ce monde était bon. Son œuvre était terminée. Le septième jour, Dieu se reposa et décida que ce jour de repos serait désormais sacré.

Adam et Ève

Adam et Ève vivaient dans l'Éden, un jardin magnifique que Dieu avait créé spécialement pour eux. Il était couvert de fleurs et d'arbres fruitiers. Dieu dit à Adam qu'il pouvait manger les fruits de tous les arbres, mais lui interdit, sous peine d'en mourir, de toucher à ceux qui poussaient sur l'Arbre de la connaissance du bonheur et du malheur.

Adam et Ève étaient très heureux dans le jardin. Des rivières étincelantes le traversaient et toutes espèces d'animaux et d'oiseaux l'habitaient. De temps en temps, par les chaudes soirées d'été, Dieu se promenait dans l'Éden avec Adam et Ève et leur parlait.

Un serpent se cachait dans le jardin. Une après-midi, alors que tout dormait sous le soleil, il se faufila vers Ève et lui chuchota :
« Dieu vous a-t-il permis de manger tous les fruits que vous vouliez ?

- Oui, répondit Ève, mais nous n'avons pas le droit de toucher à ceux de l'Arbre de la connaissance qui croît au milieu du jardin, à moins d'en périr.

- Oh... n'en crois rien, susurra le serpent. Dieu sait bien que le jour où vous mangerez ces fruits extraordinaires, vous deviendrez aussi sages que lui. »

Ève marcha lentement vers l'Arbre de la connaissance. Comme ses fruits avaient l'air appétissants ! Elle en cueillit un et mordit dedans. Quand Adam vint la rejoindre, elle lui offrit le reste à manger.

Alors Adam et Ève se regardèrent. À leur grande confusion, ils virent pour la première fois qu'ils étaient tout nus ! Ils coururent vite se fabriquer des pagnes de feuilles de figuier afin de s'en vêtir.

Ce soir-là, Dieu se rendit dans le jardin.
« Adam, appela-t-il, où es-tu ?
- Ici, répondit Adam, je me cache, car je suis tout nu.
- Comment le sais-tu ? As-tu mangé le fruit que je t'avais interdit de toucher ? demanda Dieu.
- C'est Ève qui me l'a donné, dit Adam.

- Pourquoi m'as-tu désobéi ? demanda Dieu à Ève.
- C'est le serpent qui m'y a incitée, répondit Ève.
- Parce que vous m'avez désobéi, déclara Dieu, je vous chasse de mon jardin. Désormais, vous devrez travailler durement pour vous nourrir. La terre que vous cultiverez sera dure et pleine de pierres, d'épines et de chardons. Et quand vous serez vieux, vous mourrez. »

Dieu regarda Adam et Ève s'en aller vers leur nouvelle vie sur la Terre. Ils étaient très malheureux.

Dieu envoya alors un ange armé d'une épée de feu et de flammes devant la porte du jardin, et lui ordonna d'empêcher quiconque d'y revenir à jamais.

L'arche de Noé

Après de nombreuses années, Dieu contempla le monde qu'il avait créé et fut attristé par ce qu'il vit. Les hommes étaient mauvais, ils se battaient entre eux et ne l'écoutaient plus. Il décida alors d'inonder la Terre entière et de noyer tous ses habitants.

Seul un homme demeurait qui aimait Dieu et lui obéissait. Son nom était Noé. Dieu dit à Noé : « Construis une arche, un grand bateau, afin que je puisse sauver ta famille et tous les animaux de la Terre. »

Noé fit ce que Dieu lui demandait. Avec l'aide de ses trois fils, il coupa des arbres pour commencer la construction de l'arche. Ils tracèrent d'abord la forme de l'arche sur le sol et bâtirent une armature de bois. Ils recouvrirent celle-ci des deux côtés de planches et de goudron pour la rendre bien étanche.

Après des mois de dur labeur, l'arche fut terminée. Elle avait trois ponts, une porte sur le côté et un toit, juste comme Dieu l'avait ordonné. Noé et sa famille remplirent l'arche de vivres et d'eau pour eux et pour toutes les créatures qui les accompagneraient.

Ils finissaient de charger l'arche quand d'énormes nuages envahirent le ciel et cachèrent les rayons du soleil. Quelques gouttes de pluie tombèrent. Noé regarda vers les collines. Il aperçut une immense procession d'animaux qui marchaient, trottaient, rampaient ou bien volaient vers l'arche, avec un mâle et une femelle de chaque espèce. Noé s'inquiéta de voir ses passagers si nombreux. Mais, un par un, ils entrèrent dans l'arche et il y avait juste assez de place pour tous. Noé, sa femme, ainsi que ses trois fils et leurs épouses embarquèrent à leur tour. Alors Dieu ferma la porte.

Et la pluie commença à tomber. Il plut pendant quarante jours et quarante nuits. Lentement, les eaux inondèrent la Terre et l'arche se mit à flotter, ses passagers sains et saufs, sur la mer immense.

Les eaux continuèrent de monter, recouvrant les cimes des montagnes. Toutes les bêtes et tous les hommes restés sur Terre se noyèrent dans le Déluge.

L'arche solitaire dériva pendant des mois sur l'immense mer vide. Enfin, la pluie cessa, et les eaux commencèrent à baisser. Noé ouvrit une fenêtre et fit s'envoler un corbeau : « Va et cherche la terre ferme », lui dit-il. Le corbeau vola longtemps, sans trouver où se poser.

Noé lâcha alors une colombe. Elle s'envola, puis revint. Noé attendit encore une semaine, puis envoya de nouveau la colombe en reconnaissance. Cette fois, elle rapporta un rameau d'olivier dans son bec. Noé sut alors qu'il y avait de la terre ferme quelque part et que la végétation repoussait. Une semaine plus tard, il lâcha de nouveau la colombe, mais cette fois, elle ne revint pas. Alors, Noé souleva le toit de l'arche et observa les alentours. La terre était enfin visible. Il ouvrit la porte et tout le monde se précipita dehors. Le sol était sec et le soleil brillait.

« Répandez-vous sur la Terre et prospérez avec vos familles », Dieu dit à Noé et à tous les animaux.

Noé leva les yeux au ciel et remercia Dieu de les avoir épargnés. Pour montrer aux hommes qu'il leur renouvelait enfin sa confiance, Dieu créa l'arc-en-ciel.

Abraham et Sarah

Abraham était un homme prospère qui vivait dans la ville d'Our avec sa femme Sarah. Ils étaient tous les deux très âgés et, à leur grande tristesse, n'avaient pas d'enfants.

Un jour, Dieu s'adressa à Abraham : « Rends-toi dans le pays de Canaan. Là, je ferai de toi le père d'une grande nation. »

Abraham ne savait pas ce que ceci signifiait, mais, comme il obéissait toujours à Dieu, il partit bientôt pour Canaan avec Sarah, son neveu Loth et sa femme, tous ses serviteurs et ses troupeaux de moutons et de chèvres. Après un très long voyage, ils arrivèrent dans leur nouveau pays et y dressèrent leurs tentes.

Au début, l'herbe et l'eau étaient suffisantes pour le bétail d'Abraham et celui de Loth. Mais, au bout de quelques années, les animaux devinrent si nombreux qu'il n'y eut plus assez pour nourrir chaque troupeau.

« Il est l'heure de nous séparer, dit Abraham à Loth. Choisis le territoire que tu préfères.
- Je vais descendre dans la vallée, l'herbe et l'eau y sont bonnes et abondantes, répondit Loth.
- Dans ce cas, je resterai ici dans les collines », dit Abraham, sachant pourtant que son bétail n'y serait pas aussi bien nourri.

Loth et sa femme firent leurs adieux et conduisirent leurs moutons dans la vallée. Dieu renouvela sa promesse à Abraham de faire de sa descendance une grande nation.

Par une chaude après-midi, quelques années plus tard, Abraham était assis sous sa tente quand il vit trois hommes traverser les collines. Il alla à leur rencontre :
« Venez sous ma tente, dit Abraham aux inconnus, vous y serez les bienvenus. Vous pourrez vous laver et vous reposer, et prendre un bon repas. »

Sarah et ses servantes firent du pain frais, rôtirent de la viande sur le feu et offrirent aux trois hommes des bols de lait et de fromage. À la fin du repas, l'un d'eux dit :
« Nous t'apportons un message de Dieu : Sarah et toi allez avoir un fils.

- Nous sommes bien trop vieux pour avoir des enfants », répondit Sarah en riant.

Mais, quelques mois plus tard, Sarah donna naissance à un fils. Elle l'appela Isaac. Abraham et Sarah étaient fous de joie d'avoir enfin un enfant. Et Abraham se rappela la promesse de Dieu qu'il serait le père d'une grande nation.

Isaac et Rebecca

Isaac, fils d'Abraham et de Sarah, devint grand et fort. Après la mort de Sarah, Abraham décida qu'il était temps de marier son fils. Mais sa femme devrait venir de la branche de sa famille demeurée loin de Canaan.

Abraham dit à un de ses serviteurs :
« Va trouver mon frère Nahor, demande-lui de choisir une femme pour Isaac et ramène-la-moi.
- Si elle ne veut pas venir, dois-je lui amener Isaac ? demanda l'homme.
- Non, Isaac restera ici. Dieu a promis cette terre à ma famille,

dit Abraham. La femme d'Isaac devra vivre ici. »

Le serviteur entreprit le long voyage, accompagné d'autres serviteurs, avec dix chameaux et des cadeaux pour la jeune fille et sa famille. Arrivé au pied des murailles de la ville, il s'arrêta près d'un puits. Le soir tombait, et les jeunes filles ne tarderaient pas à venir remplir leurs cruches d'eau.

Le serviteur adressa alors une prière à Dieu : « Fais que la femme destinée à Isaac soit celle à qui je dirai : "S'il te plaît, penche ta cruche et donne-moi à boire" et qui répondra : "Bois donc, et je donnerai également de l'eau à tes chameaux". »

À peine eut-il achevé ces paroles qu'une belle jeune fille s'approcha du puits.

Quand elle eut fini de puiser l'eau, il la pria de lui donner à boire. Elle lui tendit sa cruche et, après qu'il se fut désaltéré, elle la reprit et la remplit d'eau pour ses chameaux.

Le serviteur y vit le signe qu'il demandait. Il offrit à la jeune fille un anneau et deux bracelets d'or.
« Quel est ton nom ? demanda-t-il. Ton père peut-il nous abriter pour la nuit ?
- Je m'appelle Rebecca, petite-fille de Nahor. Nous avons toute la place qu'il faut pour toi et tes chameaux », répondit la jeune fille.
Le serviteur remercia Dieu de l'avoir conduit droit vers la famille d'Abraham.

Rebecca courut chez elle. Elle raconta sa rencontre à sa famille et montra les cadeaux de l'étranger. Laban, son frère, retourna au puits et invita le serviteur et ses compagnons dans leur maison.

Après que les chameaux eurent été nourris pour la nuit, tout le monde s'assit autour d'un bon repas. Mais le serviteur ne voulut rien toucher avant d'avoir raconté à la famille de Rebecca le but de son voyage.

Il parla d'Abraham et de Sarah, et de leur fils Isaac, et mentionna aussi sa prière près du puits. Il demanda ensuite la permission d'emmener Rebecca à Canaan pour qu'elle y épouse Isaac.

La famille de Rebecca comprit tout de suite que telle était la volonté de Dieu et elle donna sans hésiter son consentement. Le serviteur d'Abraham offrit des bijoux à Rebecca et d'autres présents à sa mère ainsi qu'à son frère. Puis tous célébrèrent les fiançailles de Rebecca et d'Isaac.

Le serviteur d'Abraham voulut repartir dès le lendemain et Rebecca accepta de l'accompagner. Les hommes chargèrent les chameaux. La jeune fille fit ses adieux à sa famille, puis la caravane s'ébranla.

Le soir tombait quand les voyageurs arrivèrent enfin à la tente d'Abraham. Isaac était aux champs. Il aperçut les chameaux et vint aussitôt à leur rencontre. Le serviteur s'empressa de lui raconter son voyage. Isaac contempla alors la belle jeune fille qui était venue de si loin pour devenir sa femme. Il l'épousa bientôt et l'aima de tout son cœur.

Joseph et ses habits de roi

Jacob, fils d'Isaac, était un riche fermier de Canaan. Il avait douze fils et, bien qu'il les aimât tous, il préférait son fils Joseph à tous les autres. Un jour, il lui offrit une tunique magnifique. Joseph en était très fier, mais ses frères furent remplis de jalousie. Ils le haïrent encore plus quand il leur raconta qu'il avait rêvé qu'ils se prosterneraient un jour devant lui.

Un matin, Jacob envoya Joseph voir ses frères dans une vallée éloignée, où ils faisaient paître les troupeaux. Quand il l'aperçut, l'un de ses frères dit aux autres : « Tuons-le. Nous raconterons à notre père qu'il a été dévoré par une bête féroce.
- Non, ne le tuons pas, proposa un autre frère. Jetons-le plutôt dans cette fosse. »

Juste à ce moment-là, des marchands passèrent, en route pour l'Égypte. Les frères de Joseph décidèrent de leur vendre Joseph comme esclave. Ils souillèrent sa tunique de sang de chèvre et revinrent chez leur père : « Nous avons trouvé cette tunique. Est-ce celle de Joseph ? » demandèrent-ils. Bien sûr, Jacob reconnut la tunique et, apercevant le sang, crut que Joseph était mort. Il fut pris d'une grande tristesse.

Les marchands emmenèrent Joseph en Égypte, où ils le vendirent à Potiphar, capitaine des gardes du roi. Joseph était si bon travailleur que Potiphar lui confia bientôt la charge de sa maison. Tout se serait bien passé si la femme de Potiphar n'avait pris Joseph en aversion. Elle l'accusa de lui avoir manqué de respect.

Ce n'était pas vrai, mais Potiphar la crut. Furieux, il fit jeter Joseph en prison. Là, parce qu'il avait reçu de Dieu le don de deviner le sens des rêves, Joseph expliquait leurs songes aux autres prisonniers.

Après que Joseph eut passé deux longues années en prison, le roi d'Égypte, qu'on appelait le pharaon, eut un rêve étrange. Il demanda à ses conseillers d'en interpréter le sens, mais nul ne put lui répondre. Quelqu'un se souvint alors du don de Joseph. On l'amena donc auprès du pharaon. Celui-ci lui raconta son rêve.

Joseph lui dit ceci : « Ton rêve signifie que pendant sept années, l'Égypte connaîtra de bonnes récoltes, avec abondance de nourriture pour tous. Puis viendront sept années de mauvaises récoltes où la famine régnera. »

Le pharaon récompensa Joseph en lui confiant tous les dépôts de grains d'Égypte. Pendant sept ans, les moissons furent abondantes et Joseph fit entreposer le surplus de grain. Puis vinrent sept années de disette, mais grâce aux vivres entreposés par Joseph, le peuple d'Égypte fut sauvé de la famine.

Dans le pays de Canaan, le père et les frères de Joseph commencèrent à manquer de nourriture. Jacob envoya ses fils acheter du grain en Égypte. Dix des frères partirent, sauf le plus jeune, qui s'appelait Benjamin.

Les frères demandèrent au gouverneur égyptien s'ils pouvaient acheter de la nourriture. Ils ne reconnurent pas Joseph, mais celui-ci vit tout de suite qui ils étaient. Sans révéler son identité, il les accusa d'être des espions.

« Je veux bien vous vendre des vivres, déclara-t-il, mais votre plus jeune frère devra vous accompagner lors de votre prochaine visite. Votre frère Siméon restera prisonnier ici en attendant. »

Les frères repartirent. En chemin, ils ouvrirent les sacs de grain qu'ils avaient achetés et y découvrirent l'argent qu'ils avaient remis à Joseph ! « C'est ainsi que Dieu nous punit d'avoir vendu Joseph », pensèrent-ils, terrifiés. Ils ne se doutaient pas que c'était Joseph lui-même qui avait fait cacher l'argent dans les sacs.

Quand le grain fut épuisé, les frères de Joseph durent revenir en Égypte. Cette fois, Benjamin les accompagna. Ils supplièrent Joseph de leur vendre à nouveau des vivres. À leur grande surprise, il leur offrit à manger, en servant le plat le plus copieux à Benjamin.

Sur le chemin du retour, ils furent rattrapés par les gardes de Joseph. Ceux-ci ouvrirent les sacs de grain et trouvèrent une coupe d'argent dans le sac de Benjamin. Joseph l'avait fait cacher là pour éprouver ses frères.

Les gardes ramenèrent les frères tremblants de peur devant Joseph. « Je vous accorde la vie sauve, leur dit-il, mais Benjamin devra rester ici. »

Les frères de Joseph se jetèrent à ses pieds : « Nous t'en supplions, rends la liberté à Benjamin. Notre père a déjà perdu un fils ; si tu lui enlèves Benjamin, il aura certainement le cœur brisé. Laisse l'un de nous prendre sa place ! » Joseph comprit alors que ses frères avaient changé et qu'ils regrettaient le sort qu'ils lui avaient fait subir autrefois.

« Je suis Joseph, s'écria-t-il, votre frère, celui que vous avez vendu comme esclave ! Dieu a promis à Abraham qu'il prendrait soin de son peuple. C'est pour vous sauver de la famine qu'il m'a conduit en Égypte. Rentrez chez mon père et ramenez-le, avec toute votre famille et votre bétail. Je vous donnerai de bonnes terres et nous serons de nouveau réunis. »

Moïse sauvé des eaux

Bien des années après la mort de Joseph, l'Égypte était gouvernée par un pharaon très cruel envers la famille de Joseph, les Hébreux. Réduits en esclavage, ceux-ci étaient forcés de travailler dans les champs et de fabriquer des briques d'argile pour construire des cités et des temples en l'honneur du pharaon.

Les Hébreux travaillaient dur du matin au soir, surveillés par des gardes égyptiens qui les battaient s'ils tentaient de se reposer.

Il y avait tant d'Hébreux en Égypte en ce temps-là que le pharaon commença à craindre leur révolte. Il ordonna donc à ses soldats de tuer tous les garçons hébreux dès leur naissance.

Une femme parmi les Hébreux réussit à cacher son fils, du nom de Moïse, jusqu'à l'âge de trois mois, mais elle avait peur que les soldats égyptiens ne finissent par le découvrir.

Un jour, elle prit Moïse dans ses bras et se glissa vers la rivière. Là, elle fabriqua un panier de roseaux, en recouvrit le fond de goudron pour le rendre étanche, puis elle y déposa le bébé endormi. Elle poussa doucement le panier sur l'eau, et il se mit à flotter le long du grand fleuve Nil.

La sœur de Moïse, dissimulée dans les roseaux, regardait le panier dériver. Elle le suivit sur la berge.

En aval, la fille du pharaon se préparait à se baigner dans la rivière en compagnie de ses suivantes. Elle aperçut le panier sur l'eau, parmi les roseaux.

« Va chercher ce panier », ordonna-t-elle à l'une de ses suivantes. Celle-ci rattrapa le panier et le lui présenta.

Quand la princesse aperçut le bébé, elle s'exclama : « C'est un enfant des Hébreux ! » À cet instant, Moïse se réveilla et se mit à pleurer. Elle eut pitié de lui et décida de le garder.

Dans sa cachette au milieu des roseaux, la sœur de Moïse qui observait la scène avait vu tout ce qui s'était passé.

Elle courut vers la fille du pharaon :
« As-tu besoin d'une nourrice appartenant au peuple hébreu pour s'occuper de cet enfant ? lui demanda-t-elle.
- Oui, dit la princesse. Va et ramène-moi une nourrice », ordonna-t-elle.

La sœur de Moïse repartit bien vite chez elle. Elle raconta tout à sa mère et la conduisit devant la princesse. « Emmène ce bébé et occupe-toi de lui. Je te paierai bien », déclara la fille du pharaon.

La mère de Moïse était très heureuse. Son bébé était hors de danger et elle put s'occuper de lui chez elle. Quand l'enfant fut en âge de venir au palais, elle l'amena devant la princesse.

« C'est mon fils maintenant », déclara celle-ci.

Moïse grandit au palais en compagnie de la princesse. Il était traité comme un prince d'Égypte, mais il n'oublia jamais qu'il était un Hébreu.

Moïse conduit son peuple hors d'Égypte

Moïse devint un homme important en Égypte. Il s'affligeait cependant de la façon dont les esclaves hébreux étaient traités. Un jour, il tua un Égyptien qui fouettait un Hébreu. Mais quelqu'un le vit. Moïse savait que si le pharaon venait à apprendre son acte, il le mettrait à mort. Il se sauva dans le désert et y vécut longtemps.

Un jour, Moïse eut une vision étrange : une flamme apparut dans un buisson, mais sans sembler brûler le buisson. Comme il se rapprochait, Dieu s'adressa à lui :

« Retourne en Égypte avec ton frère Aaron, ordonna Dieu. Demande au pharaon de laisser les Hébreux quitter l'Égypte. Évidemment, il refusera de les libérer, mais je l'y contraindrai. Alors le monde entier saura qui je suis. Tu conduiras les Hébreux vers un pays où ils vivront libres et où ils prospéreront. »

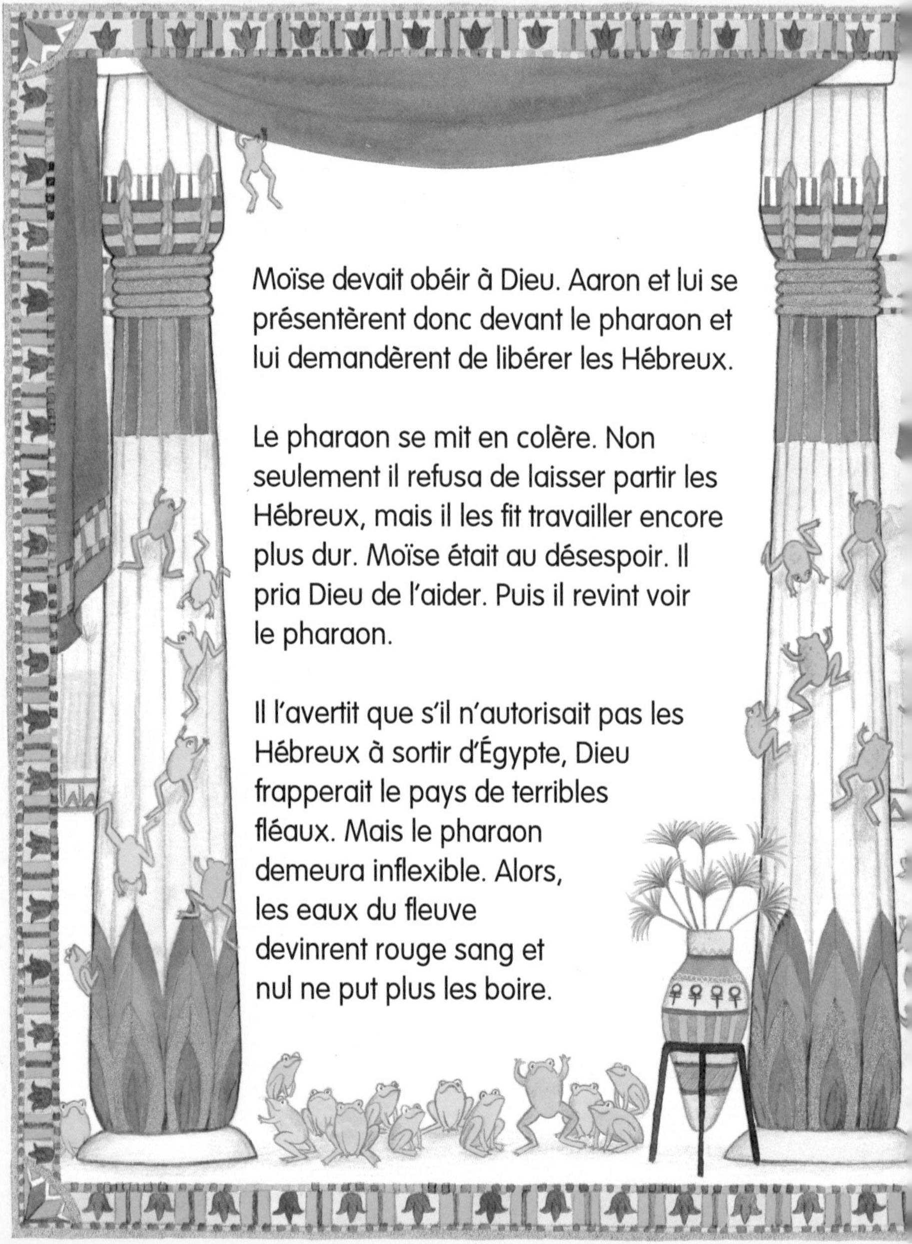

Moïse devait obéir à Dieu. Aaron et lui se présentèrent donc devant le pharaon et lui demandèrent de libérer les Hébreux.

Le pharaon se mit en colère. Non seulement il refusa de laisser partir les Hébreux, mais il les fit travailler encore plus dur. Moïse était au désespoir. Il pria Dieu de l'aider. Puis il revint voir le pharaon.

Il l'avertit que s'il n'autorisait pas les Hébreux à sortir d'Égypte, Dieu frapperait le pays de terribles fléaux. Mais le pharaon demeura inflexible. Alors, les eaux du fleuve devinrent rouge sang et nul ne put plus les boire.

La semaine suivante, des milliers de grenouilles sortirent du fleuve et entrèrent chez les Égyptiens. Puis des nuées de mouches envahirent le palais et toutes les maisons, sauf celles des Hébreux. Mais le pharaon refusa encore de libérer les Hébreux.

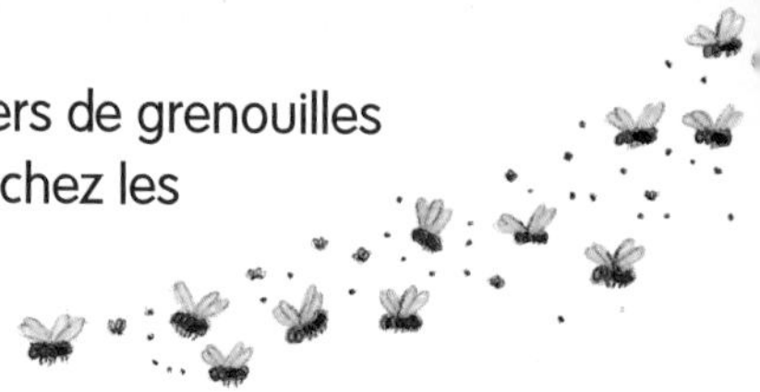

Puis ce fut le tour du bétail, qui commença à mourir, et les corps des Égyptiens se couvrirent de plaies horribles.

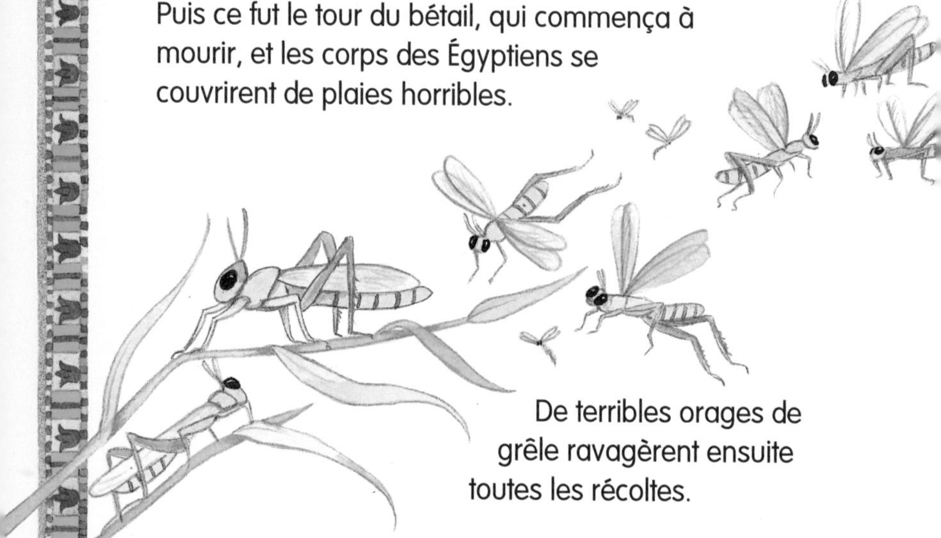

De terribles orages de grêle ravagèrent ensuite toutes les récoltes.

Des nuées de sauterelles dévorèrent les plantes qui restaient. Le pharaon refusa encore de libérer les Hébreux.

Enfin, une nuit, tous les premiers-nés égyptiens furent frappés de mort. Seuls les enfants des Hébreux furent épargnés, car Dieu avait expliqué à Moïse comment se protéger de sa malédiction : chaque famille devait sacrifier un agneau et déposer un peu de son sang sur le seuil de la porte, puis manger l'agneau rôti avec du pain sans levain et des herbes. Dieu ordonna aux Hébreux de commémorer ce jour chaque année en célébrant la fête de la Pâque.

Alors le pharaon céda et consentit à libérer les Hébreux. Le lendemain, ils quittèrent l'Égypte, guidés pendant le jour par une colonne de fumée et pendant la nuit par une colonne de feu envoyées par Dieu.

Hélas, le pharaon changea d'avis. Il envoya son armée à leur poursuite. Les chars rejoignirent les Hébreux devant la mer Rouge. Ils étaient pris entre la mer et les soldats ! Moïse les rassura : Dieu allait une nouvelle fois les aider. Il étendit la main. Un vent fort se leva de l'Orient et partagea les eaux, ouvrant un passage aux fugitifs. Quand les soldats égyptiens se précipitèrent pour les suivre, les eaux se refermèrent et les engloutirent. Les Hébreux étaient enfin libres d'aller vers la terre promise par Dieu.

La traversée du désert

Sous la conduite de Moïse, les Hébreux marchèrent pendant des semaines dans le désert. Ils oublièrent bientôt leur esclavage. Les vivres venant à manquer, ils commencèrent à regretter d'être partis : « En Égypte, nous avions de quoi manger, dirent-ils. Il y avait de la viande et du pain, des melons, des oignons et des concombres. Nous aurions mieux fait de rester plutôt que d'aller mourir de faim dans le désert. »

Dieu entendit les Hébreux murmurer contre leur sort. Il promit à Moïse qu'il donnerait à son peuple de la viande tous les soirs et du pain tous les matins.

Ce soir-là, des volées de cailles vinrent se poser sur les tentes des Hébreux qui n'eurent aucune difficulté à les attraper. Tout le monde mangea de la caille rôtie. Au matin, à leur réveil, ils trouvèrent le sol couvert de petites graines blanches. Ils les ramassèrent et en firent de la farine et du pain. Parce qu'elles étaient tombées du ciel, ils appelèrent « manne céleste » ces graines qui avaient le goût du miel.

Le même phénomène se répéta chaque jour.
Le peuple mangeait le pain de la manne le matin et des cailles rôties le soir. Le sixième jour, Moïse ordonna d'amasser assez de vivres pour deux jours. Ainsi, ils n'auraient pas à travailler le lendemain et pourraient célébrer le jour de repos du Sabbat.

Les Hébreux mangeaient désormais à leur faim, quand l'eau se mit à manquer. Ils recommencèrent à se plaindre : « Nous aurions dû rester en Égypte plutôt que d'aller mourir de soif dans le désert. »

Moïse s'adressa à Dieu : « Que dois-je faire ? demanda-t-il. Ils sont furieux et prêts à me tuer !
- Prends ton bâton et marche en tête de ton peuple, répondit Dieu. Puis de ce bâton frappe un rocher. »

Moïse obéit à Dieu. Quand il heurta le rocher, une source en jaillit. Le peuple se précipita pour boire.

Dieu protégea ainsi les Hébreux pendant les longues années qu'ils passèrent dans le désert. Il leur envoya des vivres quand ils avaient faim, et de l'eau quand ils avaient soif.

Moïse et les Dix Commandements

Moïse conduisit son peuple à travers le désert vers le mont Sinaï, comme Dieu le lui avait dit. Pendant des semaines, ils marchèrent sur la terre brûlante et desséchée, mais Dieu leur envoyait toujours de l'eau et des vivres. Enfin, ils s'arrêtèrent et campèrent au pied de la montagne. Moïse alla prier en son sommet.

Là, Dieu lui dit qu'il avait un message pour son peuple. Le ciel s'assombrit, le tonnerre gronda et des éclairs déchirèrent le firmament. Des flammes et de la fumée jaillirent de la montagne. Le sol se mit à trembler. Une trompette sonna. Les Hébreux étaient terrifiés. Ils savaient que Dieu n'était pas loin.

Au milieu des flammes et de la fumée, Dieu parla à Moïse. Il prononça les Dix Commandements que son peuple devrait toujours respecter :

« Je suis ton Dieu. Tu n'auras pas d'autre dieu.

Tu ne façonneras pas d'idoles et tu ne te prosterneras pas devant elles.
Tu prononceras mon nom avec respect.
Tu travailleras pendant six jours et tu consacreras le septième jour au repos.
Tu traiteras toujours ton père et ta mère avec respect.
Tu ne commettras pas de meurtre.
Les maris et les femmes se seront fidèles.
Tu ne voleras pas.
Tu ne mentiras pas.
Tu ne seras pas jaloux des possessions des autres. »

Puis Moïse descendit de la montagne et parla aux Hébreux. Ceux-ci acceptèrent d'obéir à Dieu et de devenir son peuple. Moïse grava les Dix Commandements sur des blocs de pierre. Hélas, le peuple oublia vite la loi de Dieu. Celui-ci les punit en les faisant errer de nombreuses années dans le désert.

Les trompettes de Jéricho

Au bout de quarante années, Moïse mourut. Josué conduisit alors le peuple vers la terre promise par Dieu. Ils traversèrent le fleuve du Jourdain et arrivèrent devant la ville de Jéricho. Dieu promit à Josué de lui ouvrir les portes de cette cité.

Josué contempla les immenses murs de Jéricho. Sur le conseil de Dieu, chaque jour pendant six jours, il marcha autour de la ville en silence avec ses soldats. Sept prêtres soufflant dans des trompettes suivaient derrière.

Le septième jour, ils firent le tour de la ville sept fois et quand les prêtres soufflèrent dans leur trompette, le peuple poussa une grande clameur. Les murailles de Jéricho s'écroulèrent avec fracas. Les soldats se ruèrent vers la ville et s'emparèrent de ses trésors. Ce fut la première victoire des Hébreux dans le pays de Canaan. Josué devint célèbre. Les Hébreux purent enfin s'établir et fondèrent une nation puissante, protégée par Dieu.

Samson et Dalila

Manoah et sa femme étaient mariés depuis de nombreuses années, mais, à leur grande tristesse, n'avaient pas d'enfant. Un jour, Dieu envoya un ange devant la femme de Manoah pour lui annoncer qu'elle aurait un fils qui sauverait son peuple, les Israélites, des Philistins qui les gouvernaient.

Manoah et sa femme furent très heureux. Lorsque le garçon naquit, ils l'appelèrent Samson. Ils ne coupèrent jamais ses cheveux pour montrer qu'il appartenait à Dieu. Samson devint très grand et très fort. Un jour, alors qu'il traversait des vignes, un lion rugissant vint à sa rencontre. Il le saisit et le tua de ses mains nues. Il comprit que sa force était un don de Dieu pour l'aider dans la tâche qu'il devait accomplir.

Il entreprit alors la lutte contre les Philistins, incendiant leurs récoltes et décimant leurs troupes. Une nuit, les Philistins enfermèrent Samson dans la ville de Gaza. Ils croyaient qu'il lui serait impossible de s'échapper et avaient l'intention de le tuer. Mais Samson sortit les portes de la ville de leurs gonds et s'enfuit en les emportant sur ses épaules.

Samson tomba amoureux d'une belle Philistine du nom de Dalila. Les Philistins promirent à Dalila la fortune si elle réussissait à connaître le secret de la force de Samson. Mais elle avait beau le cageoler, il refusait de lui avouer la vérité.

« Si tu m'aimais vraiment, tu ne me cacherais rien », disait Dalila, et elle ne cessa plus de le harceler de ses questions.
Samson finit par lui avouer son secret :
« Mes cheveux n'ont jamais été coupés, dit-il, pour montrer que j'appartiens à Dieu. C'est lui qui me donne ma force. »

Cette nuit-là, Dalila attendit que Samson se fût endormi, puis elle ouvrit la porte à l'un des Philistins. Celui-ci se glissa près de Samson et lui rasa la tête. Quand le géant se réveilla, sa force avait disparu.

Les Philistins le firent alors prisonnier, lui crevèrent les yeux et le couvrirent de chaînes. Ils le conduisirent à Gaza. Samson fut jeté en prison et condamné à tirer la meule d'un moulin à grain. Ses cheveux commencèrent alors lentement à repousser, mais nul ne s'en aperçut.

Un jour, une grande fête fut organisée par les Philistins en l'honneur de leur dieu, Dagon. Ils firent sortir Samson de prison pour que tous puissent rire au spectacle du géant déchu. Ils l'enchaînèrent entre deux énormes piliers qui soutenaient le toit de leur temple.

Samson, aveugle, reconnut les piliers au toucher. Il pria Dieu de l'aider, s'arc-bouta de toutes ses forces contre les piliers et, sa force revenue, réussit à les ébranler. Le temple tout entier s'effondra. Samson, les chefs des Philistins et des milliers de personnes périrent dans le désastre. Par cet acte d'héroïsme, les Israélites furent enfin débarrassés de leurs oppresseurs philistins.

Ruth et Naomi

Naomi venait de la ville de Bethléem, mais pendant longtemps, elle vécut loin de là, à Moab. Après la mort de son mari et de ses deux fils, elle n'eut plus avec elle que ses deux belles-filles, Orpah et Ruth. Elle décida de revenir mourir dans son pays natal.

Orpah et Ruth ayant insisté pour l'accompagner, les trois femmes entreprirent ensemble le long voyage. En chemin, Naomi tenta de convaincre ses belles-filles de rester dans leur propre pays et de s'y remarier. Orpah finit par céder, mais Ruth supplia Naomi de la laisser demeurer à ses côtés. Orpah retourna sur ses pas, et Naomi et Ruth reprirent seules la route vers Bethléem.

Pour trouver de quoi vivre, Ruth partait tous les matins dans les champs ramasser le seigle abandonné par les moissonneurs. Avec la farine de ces grains, elle faisait du pain. Elle ignorait que ces champs appartenaient à un riche parent de Naomi, nommé Boaz.

Boaz vit Ruth dans les champs et demanda son nom. Quand il apprit son dévouement envers Naomi, il lui dit qu'elle n'avait rien à craindre dans ses champs et qu'elle pouvait boire toute l'eau qu'elle voulait dans les cruches de ses serviteurs.

Ce soir-là, Ruth parla de Boaz à Naomi. Naomi fut très contente, car Boaz était un homme bon. Elle savait aussi que Boaz dormait près de son seigle pour décourager les voleurs. « Quand Boaz sera endormi, va te coucher à ses pieds », conseilla-t-elle à Ruth.

Quand Ruth s'approcha, Boaz l'entendit :
« Qui va là ? cria-t-il.
- C'est moi, Ruth. Je viens demander ta protection.
- Je connais un homme qui pourrait devenir ton mari, dit Boaz. Demain, je lui parlerai. »

Le jour suivant, l'homme dit à Boaz qu'il était déjà marié. Alors Boaz épousa Ruth et ils eurent un fils. Naomi remercia Dieu de lui avoir enfin donné un petit-fils.

David et Goliath

David, l'arrière-petit-fils de Ruth, gardait les moutons de son père. Bien qu'encore jeune, il était d'une grande bravoure. Il n'avait pas peur de combattre les animaux sauvages qui convoitaient ses brebis et ses agneaux, même les ours et les lions féroces. Il conduisait son troupeau dans les collines où l'herbe était la meilleure, puis, tout en regardant paître ses moutons, s'entraînait au lance-pierre ou bien jouait de la lyre.

Un jour, son père lui demanda de porter des provisions à ses trois frères qui étaient soldats dans l'armée du roi Saül. Saül était en guerre contre les Philistins. À cette époque-là, l'armée du roi campait d'un côté d'une vallée et les Philistins de l'autre côté. Les deux armées s'observaient, sans oser attaquer.

L'un des soldats philistins était un géant du nom de Goliath. Il avait une force extraordinaire et portait un casque et une armure forgés dans le bronze le plus lourd. Sa lance et son bouclier étaient énormes.

Tous les jours, Goliath venait provoquer l'armée du roi Saül en hurlant à travers la vallée : « Envoyez donc l'un de vos braves se battre contre moi et décider ainsi du sort de la guerre ! »

Les soldats de Saül avaient bien trop peur de Goliath pour relever son défi. Lorsque David arriva devant le camp, il entendit les golibets lancés par Goliath.
Il alla trouver le roi et lui dit :
« J'irai combattre Goliath.
- Mais tu n'es qu'un enfant, répondit Saül. Tu ne peux te battre contre un soldat endurci !
- Il ne me fait pas peur, dit David. Grâce à Dieu, j'ai déjà tué des ours et des lions. S'il le faut, pour sauver son peuple, Dieu viendra de nouveau à mon aide.
- Je t'accorde ma permission, dit le roi, et te prête mon armure et mon épée. »

David revêtit l'armure de Saül et saisit son épée, mais elles étaient bien trop grandes pour lui. À la place, il prit son bâton de berger et son lance-pierre. Dans un ruisseau, il choisit cinq petits cailloux. Puis il traversa la vallée pour affronter Goliath.

Quand le géant le vit arriver, il éclata de rire et cria : « Viens, petit garçon… que je t'ôte la vie ! »

Sans s'arrêter, David répondit : « Je te l'accorde, tu as ton épée et ta lance, mais moi, j'ai Dieu de mon côté. »

Il mit un petit caillou dans son lance-pierre, fit tourner celui-ci à toute vitesse au-dessus de sa tête, puis le laissa partir. Le projectile heurta Goliath en plein front. Le géant s'effondra sur le sol, frappé à mort. David était vainqueur !

Lorsque les Philistins virent leur héros à terre, ils prirent leurs jambes à leur cou. L'armée du roi Saül les poursuivit jusqu'aux portes de leur cité. Avec l'aide de Dieu, et grâce à David, la bataille était gagnée. Plus tard, David fonda une grande famille et devint roi d'Israël.

La sagesse du roi Salomon

Salomon, fils de David, était roi d'Israël. Il vivait dans la grande cité de Jérusalem. Une nuit, Dieu lui apparut et lui demanda :
« Que souhaites-tu que je te donne ?

- Je suis encore très jeune pour gouverner et j'ai beaucoup à apprendre, répondit Salomon. Donne-moi la sagesse pour je sois un roi juste et bon. »
Cette réponse plut à Dieu.

« Tu aurais pu souhaiter toutes sortes de richesses, ou la gloire, ou même la mort de tes ennemis, dit Dieu. Mais comme tu m'as demandé la sagesse, je vais faire de toi l'homme le plus sage du monde. Je te rendrai aussi très riche et très célèbre et tu vivras très vieux. »

La sagesse du roi Salomon fut bientôt célèbre dans le monde entier. Nombreux étaient ceux qui venaient le consulter. Un jour, deux femmes se présentèrent à sa cour pour demander son aide.

La première dit : « Cette femme et moi habitons dans la même maison. Il y a quelques jours, nous avons toutes les deux accouché. Mais le bébé de cette femme est mort. Alors, elle a volé le mien et ose prétendre maintenant qu'il est à elle !
- Non, c'est son bébé qui est mort, cria la seconde femme. Cet enfant est à moi ! »

« Apporte-moi mon épée », ordonna le roi à l'un de ses gardes. Quand celui-ci revint avec l'épée, Salomon lui dit : « Maintenant, coupe ce bébé en deux et donne une moitié à chaque femme.
- Oui, c'est une bonne idée, coupe-le en deux, s'écria l'une des femmes, comme ça, il ne sera ni à elle, ni à moi ! »
Mais l'autre femme se mit à sangloter : « Seigneur, je t'en supplie, laisse mon enfant vivre. Donne-le plutôt à cette femme ! »

Le roi Salomon sut alors que c'était elle la véritable mère et il lui rendit aussitôt son bébé.

Le Temple de Salomon

Salomon était roi depuis quatre ans quand il entreprit la construction d'un temple en l'honneur de Dieu.

Des centaines d'hommes taillèrent d'immenses blocs dans la pierre des collines pour bâtir les fondations et les murs du temple. Comme Salomon souhaitait revêtir les murs de bois de cèdre et que les plus beaux cèdres poussaient dans le pays du roi Hiram de Tyr, il signa un traité avec celui-ci.

Avec l'accord d'Hiram, les arbres furent coupés et leurs troncs acheminés en grands trains de flottage le long de la côte. Le pays de Tyr reçut en échange d'énormes quantités de blé et d'huile.

Des milliers d'hommes travaillèrent à la construction du Temple. Celui-ci avait deux pièces. La pièce du milieu était carrée et n'avait pas de fenêtres. C'était l'endroit le plus sacré du Temple. Seul le grand prêtre pouvait s'y rendre, une fois par an, le jour de la fête du Grand Pardon. L'autre pièce était immense. Un autel s'y trouvait, entouré de dix chandeliers. Les murs du Temple étaient lambrissés de boiseries de cèdre et étaient ornés de fleurs, d'arbres et de chérubins sculptés. Tout était recouvert d'or, même le sol. Les cours extérieures étaient réservées à la prière.

Au bout de sept ans, le Temple fut enfin terminé. Salomon convoqua le peuple et tous les prêtres à une inauguration solennelle. La présence de Dieu remplit le Temple. Dehors, le roi Salomon se tint devant son peuple et pria. Puis il s'écria : « Que Dieu soit toujours avec nous ! Que nous lui soyons toujours fidèles et que nous obéissions toujours à ses commandements ! »

Après la cérémonie, le peuple fut convié à un banquet qui dura sept jours. Puis Salomon bénit ses sujets et les renvoya chez eux.

Élie

Élie était un habitant d'Israël qui aimait et respectait Dieu. Le nouveau roi avait élevé un temple immense en l'honneur d'un faux dieu, Baal, et sa reine était fourbe et cruelle. Une grande partie du peuple avait suivi le roi et oublié Dieu. Élie prédit que la pluie cesserait de tomber pendant plusieurs années et que le pays serait alors frappé d'une grande famine.

Dieu dit à Élie : « Va vivre dans la vallée de Kerith. Tu y seras hors de danger. Tu boiras l'eau du ruisseau et les corbeaux t'apporteront à manger. »

Élie fit donc ce que Dieu lui commandait. Chaque matin et chaque soir, les corbeaux lui

apportaient du
pain et de la viande,
et il se désaltérait au
ruisseau.

Quand le ruisseau devint aride, Dieu
dit à Élie de se rendre à la ville de Sidon,
où une femme lui donnerait à manger.

À Sidon, Élie rencontra
une femme qui
ramassait du bois pour
le feu. Il lui demanda :
« S'il te plaît, donne-
moi de l'eau et un
peu de pain.

- Je n'ai rien qu'un peu de farine et quelques gouttes d'huile d'olive, répondit la femme. Sur ce bois, je vais faire cuire un dernier pain. Ensuite, mon fils et moi n'auront plus qu'à mourir de faim.
- Rentre chez toi, dit Élie. Cuis un petit pain pour moi, un pour toi et un pour ton fils. À l'avenir, tu ne manqueras plus jamais d'huile ou de farine. »

La femme obéit et, chaque jour qui suivit, elle eut toujours assez de farine et d'huile pour faire du pain. Hélas, son fils tomba très malade et mourut. Le cœur brisé, la femme demanda à Élie : « Pourquoi as-tu tué mon fils ? Est-ce pour me punir des mauvaises actions que j'ai commises dans ma vie ?
- Donne-moi ton fils », répondit Élie.
Il porta le garçon dans sa chambre et le coucha. Puis il pria Dieu trois fois : « Seigneur, rends la vie à cet enfant. »

Dieu exauça sa prière. Le garçon se releva, de nouveau en bonne santé. Élie le ramena à sa mère. « Vois, dit-il. Ton fils est vivant. » Folle de joie, la femme s'exclama : « Je sais maintenant que tu es un homme de Dieu et que ta parole est juste. »

Élisée et Naamân

Naamân commandait l'armée syrienne. C'était un brave soldat. Il était riche, avait une grande maison et des serviteurs, mais il souffrait d'une terrible maladie de la peau, la lèpre.

Sa femme avait une nouvelle esclave, une jeune fille que les Syriens avaient capturée dans un raid contre Israël. La jeune Israélite dit à la femme de Naamân : « Le prophète Élisée en Israël saurait guérir le seigneur Naamân de sa maladie. »

Lorsque Naamân apprit les paroles de l'esclave, il se présenta devant le roi de Syrie. Le souverain l'autorisa à se rendre en Israël et lui remit une lettre pour le roi de ce pays. Naamân partit sur son char, suivi de serviteurs portant des présents d'or et d'argent et des vêtements pour Élisée. Lorsqu'il parvint à la maison d'Élisée, un serviteur apparut à la porte et lui dit :

« Mon maître te dit d'aller te baigner sept fois dans le Jourdain et qu'alors tu seras guéri. »

Mais Naamân se mit en colère et commença à se plaindre : « Pourquoi ne suis-je pas accueilli par Élisée lui-même ? Ne doit-il pas demander à son Dieu de me guérir ? Et pourquoi devrais-je me laver dans le Jourdain ? L'eau des rivières syriennes ne serait-elle pas aussi pure ? »

Il faisait déjà demi-tour sur son char quand l'un de ses serviteurs l'arrêta. « Maître, dit-il, si Élisée t'avait demandé quelque chose de plus difficile, tu l'aurais certainement fait. Comme il te prie seulement de te baigner dans le Jourdain, ne devrais-tu pas au moins essayer ? »

Naamân réalisa que son serviteur avait raison. Il alla vers le Jourdain et s'y lava sept fois. Quand il sortit de la rivière, sa peau était de nouveau propre et lisse.
Il était guéri.

Ravi, il se hâta d'aller remercier Élisée : « Je sais maintenant qu'il n'y a qu'un seul Dieu », dit-il.
Il offrit à Élisée les cadeaux qu'il lui avait apportés, mais le prophète les refusa. Il bénit Naamân et le renvoya dans son pays.

Daniel et les lions

Daniel n'était qu'un jeune garçon quand Jérusalem fut capturée par les Babyloniens. Avec d'autres Israëlites, il fut emmené prisonnier dans la légendaire cité de Babylone. Là, lui et les autres garçons furent très bien traités et reçurent une bonne éducation. Cependant, en grandissant, Daniel n'oublia jamais son pays et il priait Dieu trois fois par jour.

Il devint fort et sage. Darius, roi de Babylone, le nomma l'un des trois gouverneurs du royaume. Hélas, les deux autres gouverneurs étaient jaloux de Daniel. Désespérant de jamais s'en débarrasser, tant son administration était sage, ils vinrent trouver le roi : « Institue une nouvelle loi, lui conseillèrent-ils. Pendant trente jours, défends à quiconque de prier un autre dieu que toi, sous peine d'être jeté aux lions. »

Daniel apprit la nouvelle loi, mais, trois fois par jour, agenouillé à sa fenêtre, il continua de prier Dieu.

Les deux gouverneurs le guettaient et le dénoncèrent aussitôt au roi Darius.

Le roi, qui aimait beaucoup Daniel, fut bouleversé, mais il devait appliquer sa propre loi. Il ordonna de conduire Daniel dans la fosse aux lions. Une énorme pierre fut roulée devant l'entrée, et le roi fit ses adieux à Daniel en disant : « Que ton Dieu te protège ! »

Darius revint en pleurant au palais. Il renvoya tous ses serviteurs et alla se coucher sans dîner. Au petit matin, désespérant de trouver le sommeil, il retourna à la fosse aux lions. « Ton Dieu t'a-t-il protégé ? cria-t-il à Daniel à travers la pierre.
- Je suis encore ici, répondit Daniel. Dieu a fermé la gueule des lions. Il sait que je n'ai rien fait de mal. »

Le roi était si heureux de voir qu'il était sain et sauf qu'il ordonna qu'on le sorte tout de suite de la fosse et qu'on y jette les deux autres gouverneurs à la place.

Puis il créa une nouvelle loi. Il ordonna que tous les habitants du royaume respectent le Dieu de Daniel, le Dieu qui l'avait sauvé des lions.

Courageuse Esther

Le roi Xerxès était riche et puissant. Il gouvernait l'immense empire de la Perse. Pour célébrer les trois premières années de son règne, il donna une grande fête qui dura sept jours. Des milliers d'invités dégustèrent les mets les plus fins et burent les vins les plus doux dans de splendides coupes en or.

Une nuit, Xerxès dit à l'un de ses serviteurs : « Va chercher la reine Vasti, pour que tous puissent admirer sa beauté. »
Mais la reine donnait sa propre fête et répondit qu'elle ne viendrait pas. Le roi se mit en colère. Il la chassa du palais et annonça à tous qu'elle n'était plus sa femme. Il voulut cependant se remarier. Il dépêcha ses serviteurs dans tout le royaume afin qu'ils y cherchent les plus belles filles du pays.

Un homme nommé Mardochée travaillait au palais. Originaire de Jérusalem, il avait une jeune cousine orpheline nommée Esther qu'il élevait comme sa propre fille. Elle était très belle et très bonne. Quand le roi vint voir toutes les jeunes filles rassemblées par ses serviteurs, c'est elle qu'il choisit et dont il fit sa nouvelle reine. Mardochée recommanda à Esther de ne jamais révéler qu'elle venait d'Israël et non de Perse.

Un jour, Mardochée surprit deux hommes en train de comploter contre le roi Xerxès. Il rapporta sa découverte à Esther afin qu'elle prévienne son mari du danger qui le guettait. Esther avertit le roi, qui fit mettre à mort les deux criminels. La loyauté de Mardochée et d'Esther le remplit de joie.

L'un des conseillers du roi, Haman, était un homme orgueilleux et cruel. Tout le monde devait se prosterner devant lui. Seul, Mardochée déclarait : « Je suis juif. Les Juifs ne se prosternent que devant Dieu. »

Furieux, Haman se plaint au roi que l'un des peuples de son royaume refusait de se plier à ses lois. Xerxès l'autorisa à punir ce peuple indiscipliné. Haman ordonna alors que Mardochée et tous les Juifs soient assassinés à une certaine date. Il ne se doutait pas que la reine Esther elle-même était juive.

Lorsque Esther apprit la nouvelle, elle fut bouleversée. Mardochée lui dit d'aller trouver le roi et de le supplier d'épargner les Juifs.

« Impossible, répondit Esther. Nul ne peut le voir sans en avoir été mandé. Si je lui rends visite de moi-même, il sera furieux et me fera mettre à mort.
- Dieu t'a fait reine pour que tu puisses sauver notre peuple », insista Mardochée.

Tremblante de peur, Esther se rendit chez le roi. Haman était avec lui. Elle les invita tous les deux à dîner dès le lendemain. Le roi était ravi, et Haman l'orgueilleux fut rempli de fierté d'avoir être convié. Se rappelant soudain le refus de Mardochée de s'incliner devant lui, il ordonna que celui-ci soit pendu dès le matin suivant.

Or, cette nuit-là, n'arrivant pas à s'endormir, Xerxès se mit à lire les annales de son règne, où les scribes notaient tout ce qui se passait. Il y remarqua le nom de Mardochée et se souvint qu'il lui devait la vie. Il décida de le récompenser. Le lendemain, au lieu d'être pendu sur l'ordre d'Haman, Mardochée reçut du roi des habits somptueux et un cheval magnifique !

Lorsque Xerxès et Haman vinrent dîner chez Esther, celle-ci supplia le roi de lui accorder une faveur. Il regarda sa belle épouse avec tendresse et lui dit :
« Tu peux avoir tout ce que tu désires. Tu n'as qu'à me le demander.
- L'ordre a été donné de me tuer, ainsi que tout mon peuple, dit Esther. Je t'en prie, épargne-nous la vie ! »
Horrifié, le roi s'écria : « Mais qui a osé donner un tel ordre ?
- Haman est le coupable », répondit Esther.

Haman se jeta aux pieds d'Esther, la priant de lui sauver la vie. En vain... Xerxès ordonna qu'il soit pendu aussitôt. Quant aux Juifs du royaume, le roi commanda qu'ils soient désormais tous traités avec respect. Ainsi, la courageuse Esther avait sauvé son peuple.

Jonas et la baleine

Jonas était un homme bon qui habituellement respectait Dieu. Mais un jour, Dieu lui commanda de se rendre à la ville de Ninive pour dire aux habitants qu'il avait observé leur mauvaise conduite et qu'il allait les punir.

Jonas ne voulait pas aller à Ninive. Il s'enfuit au port de Jaffa et s'embarqua sur un bateau en route pour Tarsis. Il pensait que Dieu ne pourrait le retrouver, si loin de Ninive.

Dès que le bateau atteignit la pleine mer, une violente tempête éclata. C'est Dieu qui l'envoyait. Les marins terrifiés jetèrent par-dessus bord tout ce qui pouvait alléger le navire afin de l'empêcher de sombrer. Au désespoir, le capitaine commanda à tous de prier pour avoir la vie sauve.

Malgré l'orage, Jonas était resté profondément endormi au fond du bateau. Le capitaine le secoua pour le réveiller : « Tu dois prier, toi aussi ! cria-t-il.

- Je ne peux pas, lui répondit Jonas, car c'est Dieu lui-même que je fuis. »

Les marins comprirent que Jonas leur avait amené la tempête et qu'ils allaient tous mourir à cause de lui. Ils le supplièrent alors de leur dire comment calmer les eaux démontées. « Jetez-moi à la mer », répondit Jonas. Horrifié, le capitaine refusa.

« Tu n'as pas le choix, répliqua Jonas. Si vous ne me jetez pas par-dessus bord, vous allez tous périr. C'est la seule façon d'arrêter la tempête. »

Les marins jetèrent Jonas dans les vagues et la mer se calma aussitôt. Les marins remercièrent le Dieu de Jonas de les avoir épargnés.

Jonas était sur le point de se noyer quand une énorme baleine arriva et l'avala tout entier. « Dieu m'a sauvé la vie, se dit Jonas, mais il aurait dû aussi donner un peu de clarté. Qu'est-ce qu'il fait sombre là-dedans ! »

Pendant trois jours, il vécut dans le ventre de la baleine, puis l'animal nagea vers la côte, ouvrit grand la bouche et recracha Jonas sur le sable. Il était sauvé.

« Va à Ninive maintenant », ordonna Dieu. Et Jonas entreprit la longue marche vers la ville. Il dit aux habitants qu'à moins qu'ils ne se repentent pour leurs mauvaises actions et ne commencent à bien se comporter, Dieu détruirait leur ville dans quarante jours. Le peuple l'écouta et se mit alors à prier.

Jonas s'assit en dehors de la ville et attendit sa destruction. Il avait trop chaud et était de très mauvaise humeur. Il voulait que Ninive soit anéantie. Mais Dieu vit le repentir de ses habitants et il décida de les épargner : « Jonas, j'aime le peuple de Ninive, dit Dieu, et je suis partout. On ne peut pas m'échapper ». Mieux que quiconque, Jonas savait que c'était la vérité.

Le Nouveau Testament

Sommaire

L'ange paraît devant Marie

Marie vivait à Nazareth, un village niché dans les collines de Galilée. Elle devait bientôt épouser Joseph, un charpentier du village, quand, un jour, Dieu envoya devant elle un ange nommé Gabriel.

« Ne crains rien, dit l'ange. Dieu m'envoie te dire que tu vas avoir un fils et que tu l'appelleras Jésus. Ce sera un grand roi et son royaume sera éternel.

- Je ne comprends pas, répondit Marie. Comment puis-je avoir un fils ? Je ne suis pas encore mariée.

- Il sera l'œuvre de Dieu, qui peut faire toute chose, déclara Gabriel. Ton fils sera sacré et il sera fils de Dieu. »

Marie s'inclina : « Je suis la servante de Dieu. Je ferai selon sa volonté ». Quand elle releva la tête, Gabriel était reparti.

Joseph était un homme juste,
mais quand on lui apprit que
Marie allait avoir un bébé,
il ne voulut plus d'elle
comme épouse.

Cette nuit-là, il rêva
qu'un ange lui ordonnait
d'épouser Marie. L'ange lui
annonça que son fils était le fils de Dieu,
qu'il s'appellerait Jésus et qu'il sauverait les hommes du
châtiment de Dieu pour les mauvaises actions qu'ils
avaient commises.

Le lendemain, Joseph se rappela son rêve. Il entreprit les
préparations du mariage et épousa Marie. Joseph jura
de prendre bien soin d'elle et de son enfant.

La naissance de Jésus

Marie et Joseph vivaient heureux et attendaient avec impatience la naissance du bébé. À cette époque, l'empereur romain Auguste, qui gouvernait alors la Palestine, institua une nouvelle loi. Il ordonna que tous les habitants du pays retournent dans leur ville d'origine afin d'y être comptés pour le calcul de l'impôt. Joseph venait de Bethléem, et il dut donc s'y rendre pour respecter la loi.

Il entreprit le long voyage avec Marie, dont le bébé devait bientôt naître. Ils chargèrent leur âne de vêtements chauds, de vivres et d'eau.

La nuit tombait quand ils atteignirent Bethléem. Marie était très fatiguée. La petite ville débordait de monde et d'animation avec tous les gens qui étaient venus pour être comptés. Joseph essaya de trouver une chambre pour la nuit, mais tout était déjà complet.

Il conduisit l'âne qui portait Marie dans les rues sombres et glacées et arriva devant la dernière auberge. Il frappa à la porte, mais là aussi, il ne restait plus une chambre. Tout près de là se trouvait une étable.

Joseph conduisit l'âne dans l'étable. Il fit descendre Marie. Puis il lui prépara une couche confortable avec de la paille qu'il recouvrit de son manteau. Marie mangea un peu puis s'allongea, heureuse de pouvoir se reposer.

Cette nuit-là, le bébé de Marie vint au monde. Elle le lava et l'enveloppa dans les langes qu'elle avait emportés. Joseph remplit une mangeoire de foin doux et propre. Marie y déposa tendrement le bébé. Elle l'appela Jésus, comme l'ange le lui avait dit, car il était fils de Dieu.

Dans les collines autour de Bethléem, des bergers qui gardaient leurs troupeaux se réchauffaient à leur feu de camp. Tout à coup, une lumière envahit le ciel nocturne et un ange parut devant eux.

« Ne craignez rien, dit l'ange aux bergers qui tremblaient de peur. J'ai une nouvelle merveilleuse à vous annoncer, à vous et à tous les hommes. Le fils de

Dieu est né cette nuit dans une étable de Bethléem. »

D'autres anges apparurent alors dans le ciel, chantant les louanges de Dieu. « Gloire à Dieu au plus haut des cieux et paix sur la terre à tous ceux qui l'aiment. » Puis la vision se dissipa et la nuit redevint comme avant.

Les bergers étaient très excités. « Partons pour Bethléem et cherchons cet enfant ! » proposa l'un d'entre eux. Ils coururent aussi vite qu'ils le purent vers la petite ville.

Arrivés devant l'étable, ils frappèrent à la porte, puis entrèrent en silence. Ils regardèrent le bébé couché dans la mangeoire et s'agenouillèrent devant lui. À Marie et Joseph, ils racontèrent la visite de l'ange.

Puis les bergers repartirent. Ils traversèrent de nouveau Bethléem, annonçant à tous que le fils de Dieu venait de naître. Bientôt, toute la ville connut la bonne nouvelle.

En chantant les louanges de Dieu, les bergers regagnèrent leurs troupeaux, sur les noires collines autour de Bethléem.

Dans l'étable redevenue silencieuse, Marie regarda son fils et réfléchit à ce que les bergers lui avaient dit. Elle se demanda ce que le futur apporterait.

Les Rois mages

Dans un pays loin de Bethléem, vivaient des Rois mages qui observaient les étoiles. Une nuit, ils découvrirent dans le ciel un nouvel astre, qui brillait plus fort que tous les autres. Dans leurs grimoires, ils lurent que cette étoile annonçait la naissance d'un nouveau roi et qu'ils devaient lui rendre visite.

Ils entreprirent le long voyage en emportant des présents pour l'enfant-roi. Ils partirent en direction de l'étoile et arrivèrent bientôt à la grande cité de Jérusalem.

« Quelqu'un peut-il nous dire où se trouve l'enfant qui vient de naître ? demandèrent-ils. Nous avons vu son étoile dans le ciel. Le roi des Juifs est né. »

Apprenant la quête de ces trois étrangers, le roi Hérode fut rempli de terreur. C'était lui que les occupants romains avaient nommé roi des Juifs. Il fit venir ses prêtres et ses savants et leur demanda ce que ceci signifiait. Ils lui répondirent que, il y avait très longtemps, il avait été prédit que le roi des Juifs naîtrait à Bethléem.

Hérode rencontra alors les Rois mages en secret. Il leur dit d'aller à Bethléem. « Une fois que vous aurez trouvé l'enfant, revenez à Jérusalem et dites-moi où je dois me rendre pour l'adorer moi aussi », leur demanda-t-il. Les Rois mages acceptèrent volontiers et partirent aussitôt pour Bethléem. L'étoile continua de les guider, puis s'arrêta au-dessus de la petite ville. Ils surent alors qu'ils étaient arrivés.

Ils se rendirent à l'étable où se trouvait l'enfant Jésus. Ils s'agenouillèrent devant lui et offrirent à Marie les cadeaux qu'ils avaient apportés : de l'or, de l'encens pour parfumer l'air et un onguent appelé myrrhe. Puis ils s'éloignèrent respectueusement.

Sur le chemin du retour, ils plantèrent leurs tentes non loin de Bethléem. Cette nuit-là, ils eurent un rêve : un ange leur apparut et les avertit que le roi Hérode voulait tuer Jésus. Au matin, ils chargèrent leurs chameaux et, au lieu de continuer vers Jérusalem, ils décidèrent de regagner leur pays par une autre route.

Joseph fit également un rêve. Un ange le prévint du danger que courait Jésus et lui dit de fuir en Égypte

avec Marie et le bébé. Joseph réveilla Marie et ils plièrent silencieusement bagage. Ils partirent en direction de l'Égypte avant l'aube.

Lorsque Hérode comprit que les Rois mages l'avaient trompé, il se mit dans une rage folle. Il craignait par-dessus tout que ce nouveau roi des Juifs ne le dépouille de son trône. Il ordonna à ses soldats de marcher sur Bethléem et d'y tuer tous les garçons de moins de deux ans. Le peuple haïssait déjà ce tyran cruel et le haït encore plus après ce terrible crime.

Joseph, Marie et Jésus vivaient en sécurité en Égypte, quand un ange apparut de nouveau en rêve à Joseph et lui annonça la mort d'Hérode. Ils décidèrent alors de rentrer en Israël, où ils s'établirent à Nazareth.

Jésus au Temple

Jésus grandit donc à Nazareth. Il alla à l'école avec les autres enfants de la ville et apprit les commandements que Dieu avait donnés aux Juifs. Chaque année, Marie et Joseph se rendaient à Jérusalem pour célébrer la fête de la Pâque, qui commémorait la libération des Hébreux de leur esclavage en Égypte.

Lorsque Jésus eut douze ans, ils l'emmenèrent avec eux à Jérusalem. Le voyage dura quatre jours et, quand ils arrivèrent, la ville était pleine de monde.

Après la fête, Marie et Joseph se joignirent à d'autres familles en route pour Nazareth. Ils pensaient que Jésus se trouvait avec les autres garçons de son âge. Ce n'est que lorsque la caravane s'arrêta pour la nuit qu'ils se rendirent compte qu'il n'était pas avec eux. Ils le cherchèrent partout, interrogeant tous les voyageurs qu'ils rencontraient, mais en vain.

Très inquiets, Marie et Joseph retournèrent vite à Jérusalem. Pendant trois jours, ils parcoururent la ville en tous sens à la recherche de Jésus. C'est au Temple qu'ils finirent par le découvrir. Il y était en grande conversation avec les maîtres. Ceux-ci étaient stupéfaits de voir un enfant aussi jeune comprendre si bien ce dont ils parlaient et s'étonnaient de la pertinence de ses questions.

« Pourquoi n'es-tu pas resté avec nous ? demanda Marie à Jésus. Nous t'avons cherché partout. Nous étions si inquiets. Nous te croyions perdu à jamais !
- Pardonnez-moi de vous avoir causé tant de souci, répondit Jésus, mais ne saviez-vous pas que vous me trouveriez dans la maison de mon Père ? »

Marie et Joseph ne comprirent pas ces paroles mystérieuses. Ils le ramenèrent à Nazareth, où il devint un jeune homme fort et sage qui aimait et respectait Dieu et ses parents.

Le baptême de Jésus

Jésus demeura à Nazareth avec Marie et Joseph jusqu'à l'âge d'environ trente ans. Puis il partit pour la Galilée où l'un de ses cousins, Jean, prêchait la parole de Dieu ainsi que le respect de ses commandements. Nombreux étaient ceux qui venaient l'entendre. Quand ils demandaient à Jean ce qu'ils devaient faire, il leur répondait de partager leur nourriture avec ceux qui avaient faim, et leurs habits avec ceux qui étaient en guenilles.

Avec l'eau du fleuve Jourdain, Jean baptisait les hommes et les femmes qui se repentaient des mauvaises actions qu'ils avaient commises. Cette cérémonie signifiait qu'ils étaient lavés de leurs erreurs passées et qu'ils étaient prêts à mener une nouvelle vie, en répandant le bien autour d'eux.

« Je te baptise avec cette eau, disait Jean, mais celui qui vient est bien plus grand que moi. Je ne suis pas digne de délacer ses sandales. Il te baptisera par le Saint Esprit. »

Jésus vint trouver Jean et lui demanda de le baptiser. Jean répondit : « Non, c'est moi qui dois être baptisé par toi !
- Faisons comme Dieu l'en a décidé », dit Jésus et, en priant, il s'avança dans la rivière. Jean versa de l'eau sur Jésus pour montrer qu'il était purifié. Jésus remontait sur la berge quand le ciel s'entrouvrit et une colombe blanche apparut au-dessus de sa tête. Il entendit la voix de Dieu lui dire : « Tu es mon Fils bien-aimé. Je suis fier de toi. »

Jésus et ses disciples

Jésus s'installa à Capharnaüm, une ville près du lac de Génésareth. Là, il parlait de Dieu et guérissait les malades. La nouvelle de ses enseignements se répandit rapidement et, partout où il se rendait, des foules entières venaient l'écouter.

Un jour, Jésus se promenait le long de la rive du lac. Comme à l'habitude, de nombreuses personnes l'entouraient. Une barque se trouvait sur la berge, qui appartenait à un pêcheur du nom de Pierre et à son frère André. Jésus monta dans la barque : « Ramez un peu plus loin pour que je puisse m'adresser à la foule », leur dit-il. Les deux hommes obéirent.

Jésus leur demanda ensuite d'aller au large et de jeter leurs filets dans l'eau. « Mais nous avons pêché toute la nuit et nous n'avons rien attrapé », protesta Pierre. Ils suivirent cependant le conseil de Jésus. Quand ils remontèrent leurs filets, ils étaient pleins à craquer ! Pierre et André crièrent à deux autres pêcheurs, Jacques et Jean, de venir les aider. Ensemble, ils remplirent les

deux barques de
cette pêche miraculeuse.

Lorsque les quatre hommes
virent tous ces poissons, ils furent frappés
de terreur et s'agenouillèrent devant Jésus. « Ne craignez rien, leur dit-il. Venez avec moi et je vous ferai pêcheurs d'hommes. » Alors, Pierre, André, Jacques et Jean abandonnèrent leurs bateaux pour suivre Jésus dans ses voyages.

Un jour, Jésus rencontra un homme riche, du nom de Matthieu. Il collectait l'impôt pour les Romains. Les Juifs haïssaient les Romains et les collecteurs d'impôt encore davantage. Jésus dit à Matthieu : « Viens avec moi. » Sans un mot, Matthieu se leva et suivit Jésus ainsi que les autres disciples.

Matthieu donna une fête en l'honneur de Jésus. Des prêtres virent Jésus attablé. Ils demandèrent aux amis de Jésus pourquoi il s'asseyait à la même table que tant de mauvaises gens. Jésus les entendit et répondit : « Ceux qui sont en bonne santé n'ont pas besoin de médecin, ce sont les malades qui doivent être soignés. Je suis venu pour changer la façon d'agir des méchants, non des justes. »

Un soir, Jésus grimpa au sommet d'une montagne et y pria toute la nuit. Le lendemain, il choisit le reste de ses disciples. Il y avait Philippe et Bartholomée, Thomas, un autre Jacques, Simon, Judas et Judas Iscariote. Avec Pierre, André, Jacques, Jean et Matthieu, ces douze hommes devinrent les amis et les premiers disciples de Jésus. Ils l'accompagnèrent partout, écoutèrent ses enseignements et furent témoins de ses miracles. Il leur expliqua la mission que Dieu lui avait confiée.

Jésus et le paralytique

La nouvelle que Jésus enseignait la parole de Dieu et soignait les malades se répandit très vite. Partout où il se rendait avec ses douze disciples, des foules de gens arrivaient de tout le pays, et même de Jérusalem, pour l'écouter et être guéris de toutes sortes de maux.

Un jour, Jésus était assis dans une maison si pleine de monde qu'on ne pouvait plus ni y entrer, ni en sortir. Les quatre amis d'un homme très malade voulurent l'emmener voir Jésus. L'homme était paralysé et devait être porté sur un brancard.

Lorsque ses amis virent qu'ils ne pourraient entrer par la porte, ils montèrent le brancard sur le toit. Puis ils percèrent un trou dans la toiture et abaissèrent le malade dans la pièce où se tenait Jésus.

Jésus regarda les quatre amis et vit la foi qu'ils avaient en lui. Il se pencha vers le paralytique :
« Mon fils, dit-il, je te pardonne tes péchés. »

Les notables juifs qui entendirent Jésus furent indignés et se mirent à murmurer entre eux qu'il n'avait pas le droit de pardonner les péchés, car Dieu seul pouvait le faire.

Jésus savait ce qu'ils disaient. Il leur demanda alors : « Qu'est-ce qui est le plus facile : pardonner à un homme les fautes qu'il a commises ou bien lui rendre l'usage de ses jambes ? Je vais vous montrer que j'ai le pouvoir de pardonner. »
Il se tourna vers le paralytique et lui ordonna : « Lève-toi, prends ton brancard et rentre chez toi. »

Sans dire un mot, l'homme immédiatement se leva et, emportant le brancard avec lui, sortit de la maison. Il rentra chez lui et remercia Dieu.

Les témoins de ce miracle furent saisis de joie et de stupeur. Tout en discutant entre eux, ils rendirent gloire à Dieu de l'extraordinaire guérison à laquelle ils venaient d'assister.

Le sermon sur la montagne

Des foules entières venaient écouter Jésus, partout où il allait avec ses disciples. Le jour du sabbat, il prêchait dans les synagogues, mais le reste du temps, il parlait dehors, car il y faisait moins chaud que dans les maisons.

Un jour, il monta au sommet d'une montagne. Le peuple s'assit autour de lui. Jésus expliqua que ceux qui avaient vraiment faim de la connaissance de Dieu seraient rassasiés. Il leur dit aussi qu'ils ne devaient pas s'inquiéter des nourritures ou des biens terrestres.

« Regardez les oiseaux, déclara-t-il. Ils ne cultivent rien et ne conservent pas leur nourriture. Dieu prend soin d'eux comme il prendra soin de vous. Regardez ces belles fleurs. Elles n'ont pas de vêtements. Mais Salomon lui-même n'était pas mieux vêtu. Ne vous inquiétez plus de l'avenir. Accomplissez la volonté de Dieu et il veillera sur vous.

Il est facile d'aimer vos amis, mais vous devez aimer tous les hommes et être bons aussi avec ceux qui vous font du mal. Lorsque vous rendez service, n'en parlez pas à tout le monde. Dieu vous verra et vous récompensera.

Lorsque vous priez Dieu, faites-le silencieusement, à l'écart des autres. Parlez à Dieu comme à un père qui vous aime.

Ne lui demandez pas toujours la même chose. Dieu sait ce dont vous avez besoin.

Adressez-vous à Dieu en prononçant cette prière :
Notre Père qui êtes aux Cieux,
Que ton nom soit sanctifié,
Que ton règne vienne,
Que ta volonté soit faite sur la terre comme au Ciel,
Donne-nous aujourd'hui notre pain de ce jour,
Pardonne-nous nos offenses
Comme nous pardonnons à ceux qui nous ont offensés.
Et ne nous soumets pas à la tentation,
Mais délivre-nous du mal.

Celui qui m'écoute, dit Jésus, et qui m'obéit, est comme un homme construisant sa maison sur un roc. Sous la pluie et dans le vent, sa demeure ne s'ébranlera pas. Mais celui qui m'entend et qui ne fait pas ce que je lui dis est comme un homme bâtissant sa maison sur le sable. Sous la pluie et dans le vent, sa demeure sera vite emportée. »

Jésus apaise la tempête

Un soir, alors que Jésus était bien fatigué d'avoir prêché à tant de gens et d'avoir guéri tant de malades, il demanda à ses disciples de lui faire traverser le grand lac de Génésareth. Une brise légère soufflait au moment où ils embarquèrent. Les disciples hissèrent la voile et le bateau se mit à voguer sur les flots calmes.

Jésus s'allongea au fond
du bateau et s'endormit
presque aussitôt.

Tout à coup, le vent se mit à souffler
avec violence, et une grande tempête
se leva. Les vagues étaient si hautes
qu'elles menaçaient de chavirer le bateau.
Les disciples prirent peur. Ceux d'entre eux
qui étaient pêcheurs connaissaient bien les
dangers du lac. Ils s'attendaient à sombrer d'une
minute à l'autre. Mais Jésus continuait de dormir
dans la fureur de l'orage.

Finalement, l'un des disciples, n'y tenant plus, réveilla Jésus : « Maître, sauve-nous, cria-t-il. Ne vois-tu pas que nous allons tous périr noyés ? »

Jésus s'éveilla et observa la tempête un moment. Puis il se leva, étendit le bras et ordonna aux éléments de s'apaiser. Le vent tomba aussitôt et les vagues se calmèrent.

« Que craignez-vous ? demanda Jésus aux disciples. Ne croyez-vous donc pas que je prendrai soin de vous ? »

Les disciples ne surent quoi lui répondre. Ils chuchotèrent entre eux : « Quel est donc cet homme qui se fait obéir du vent et des eaux ? »

Le bateau put donc continuer sa traversée et Jésus et ses douze disciples arrivèrent sains et saufs sur l'autre rive du lac.

Le bon berger

Jésus racontait souvent des histoires pour faire mieux comprendre ce qu'il enseignait. Ces récits, appelés paraboles, parlaient de ce que les gens voyaient autour d'eux chaque jour et du travail qu'ils accomplissaient. Il déclarait ainsi aux hommes, aux femmes et aux enfants venus l'écouter : « Si vous avez des oreilles, écoutez ce que j'ai à dire. »

Un jour, il raconta la parabole suivante : « Si un berger a cent brebis à garder et que l'une d'entre elles s'éloigne du troupeau et se perd, que va-t-il faire ? Il met d'abord les quatre-vingt-dix-neuf brebis à l'abri du loup, puis il part à la recherche de la brebis égarée.

Le berger cherche sans relâche, jusqu'à ce qu'il retrouve sa brebis. Il la prend dans ses bras, la hisse sur ses épaules et la ramène au troupeau, heureux qu'elle soit saine et sauve.

Il convie ensuite sa famille et tous ses amis à une grande fête pour célébrer avec eux le retour de la brebis égarée.

Dieu se réjouit aussi, ajouta Jésus, lorsque celui qui lui a désobéi regrette ses mauvaises actions et reprend le droit chemin. »

Et Jésus termina ainsi : « Je suis comme le bon berger. Je m'occupe de mon peuple comme s'il était mon troupeau. Je ne me sauve jamais lorsque surgit le loup. Mes brebis connaissent bien le son de ma voix et me suivent. Je les guide et je les protège. Pour elles, je suis prêt à mourir. »

La fille de Jaïros

Un jour que Jésus passait dans une ville, le chef de la synagogue, un homme appelé Jaïros, courut vers lui et se jeta à ses pieds : « Ma fille est très malade, supplia-t-il. Je crois qu'elle va mourir. Viens chez moi et guéris-la. »

Jésus se préparait à suivre Jaïros quand une femme se fraya un chemin à travers la foule. Cela faisait douze ans qu'elle était malade. Aucun docteur ne pouvait l'aider et son état ne faisait qu'empirer.

Elle avait entendu parler de Jésus. Elle était persuadée qu'elle serait guérie si elle arrivait seulement à toucher ses vêtements. Dès qu'elle fut près de lui, elle le toucha et retrouva aussitôt la santé. Jésus regarda la foule autour de lui et demanda : « Qui donc m'a touché ? » car il savait que quelqu'un venait d'être sauvé.

La femme prit peur. Elle s'agenouilla devant lui et avoua que c'était elle. Jésus lui sourit : « Ta foi t'a guérie, dit-il. Va en paix. »

Après cet événement extraordinaire, il reprit le chemin de la maison de Jaïros, mais il y fut accueilli par des gens en larmes qui crièrent : « Tu arrives trop tard, la fille de Jaïros est morte !

- Mais non, je vous assure qu'elle n'est pas morte. Elle est tout simplement endormie », répondit Jésus.

Il entra dans la maison accompagné de trois de ses disciples, Pierre, Jacques et Jean, et fit sortir tout le monde, sauf les parents de l'enfant. Il prit doucement la main de la fillette et dit simplement : « Lève-toi. »

L'enfant ouvrit immédiatement les paupières et se leva. Son père et sa mère étaient étonnés mais fous de joie. « Donnez-lui à manger, ordonna Jésus, et ne dites à personne ce qui vient de se passer. »

Puis lui et ses disciples quittèrent tranquillement la demeure de Jaïros.

La multiplication des pains

Un jour, Jésus voulut se reposer dans un endroit tranquille. Accompagné de ses disciples, il traversa le lac de Génésareth pour se rendre sur une plage déserte. Ils tirèrent le bateau sur le sable, puis grimpèrent au sommet d'une colline inhabitée. Quelqu'un avait malheureusement vu Jésus arriver, et la nouvelle de sa présence se répandit vite. Les gens commencèrent bientôt à affluer des villes et des villages environnants.

Les disciples voulurent les renvoyer mais Jésus les en empêcha. Il alla à la rencontre des pèlerins, leur parlant, répondant à leurs questions et guérissant les malades. Lorsque le soir tomba, des milliers de personnes se trouvaient dans ce lieu habituellement désert.

L'un des disciples dit à Jésus : « Il est temps que ces gens repartent. Nous n'avons rien à manger pour eux.

- S'ils ont faim, nous devons les nourrir », répondit Jésus.

« Même si nous avions assez d'argent, où irions-nous acheter de quoi manger pour tant de monde dans cet endroit désert ? » demanda Philippe, l'un des disciples.

André, un autre disciple, remarqua alors : « Regardez, ce petit garçon là-bas... il a cinq petits pains et deux poissons. »

Jésus s'adressa à l'enfant :

« Puis-je avoir tes pains et tes poissons ? lui demanda-t-il.

- Oui, Seigneur, répondit le garçon.

- Dites aux gens de s'installer par petits groupes », demanda Jésus à ses disciples.

Ils se dispersèrent dans la foule et prièrent chacun de

s'asseoir dans l'herbe. Il y avait environ cinq mille hommes, femmes et enfants.

Jésus prit les cinq petits pains et les deux poissons et prononça une prière. Puis il partagea le pain et les poissons et les remit aux disciples afin qu'ils les distribuent. À leur grande surprise, ils s'aperçurent que plus ils donnaient, plus ils avaient à donner.

Chacun se mit à manger et il y avait assez pour satisfaire tout le monde. Lorsque le repas fut terminé, les pèlerins se levèrent et rentrèrent chez eux.

« Rassemblez ce qui reste », demanda Jésus à ses disciples. Ils parcoururent la colline, ramassant la nourriture que les gens avaient laissée. Ils en remplirent douze paniers.

Le bon Samaritain

Un jour que Jésus prêchait, un homme de loi qui se tenait dans la foule se leva et lui demanda : « Je sais que je dois être bon envers les autres, mais peux-tu m'expliquer ce que cela veut dire exactement ? »

Jésus lui raconta alors l'histoire suivante :
« Un Juif de Jérusalem quitta la ville pour entreprendre à pied le long voyage qui le mènerait jusqu'à Jéricho. Bien que la route fût dangereuse et le pays infesté de bandits, il décida de voyager seul.

Il arriva bientôt dans un endroit désolé. Des bandits surgirent et l'attaquèrent. Ils le rouèrent de coups, puis ils le dépouillèrent avant de l'abandonner, gravement blessé, sur le bord du chemin.

Un prêtre du Temple passa par là, à califourchon sur son âne. Il vit le Juif étendu dans la poussière, mais, au lieu de s'arrêter, aiguillonna sa monture et s'éloigna à toute vitesse.

Un employé du Temple de Jérusalem arriva à son tour. Il contempla un moment le blessé, puis continua sa route.

Un Samaritain apparut sur son âne. Les Samaritains et les Juifs sont ennemis de longue date. Mais ce Samaritain eut pitié du Juif, arrêta sa monture et en descendit. Il ouvrit son sac, puis, s'agenouillant près du blessé, versa de l'huile sur ses plaies pour les apaiser et lui donna du vin à boire pour le réconforter. Enfin, il pansa ses blessures.

Lorsqu'il eut fait tout ce qui était en son pouvoir, il hissa le Juif sur son âne et le conduisit à l'auberge la plus proche. Là, il le coucha, puis le fit souper.

Le lendemain matin, le Samaritain régla l'aubergiste : "Occupe-toi de cet homme, dit-il. Je te paierai ce que je te dois en plus quand je repasserai." »

Jésus demanda à l'homme de loi :
« Lequel de ces trois hommes a agi avec bonté ?
- Le Samaritain, bien sûr, répondit l'homme de loi.
- Eh bien, c'est la réponse à ta question, dit Jésus. Tu dois être bon envers tous les hommes, quels qu'ils soient. »

Marie, Marthe et Lazare

Lorsque Jésus se rendait dans le village de Béthanie, près de Jérusalem, il séjournait dans la maison de deux sœurs, Marie et Marthe, et de leur frère Lazare. Un jour, Marie et Marthe envoyèrent un message à Jésus, lui annonçant que Lazare était très malade et le suppliant de venir le sauver. Elles croyaient que Jésus répondrait immédiatement à leur appel, mais elles l'attendirent en vain pendant deux jours.

« Notre ami Lazare est endormi. Je vais aller le réveiller, dit Jésus à ses disciples.
- Ne se sentirait-il pas mieux si tu le laissais dormir ? » répondirent-ils.
Mais Jésus voulait dire que Lazare était mort.

Lorsque Jésus et ses disciples arrivèrent enfin à Béthanie, Lazare était enterré depuis quatre jours. Marie resta dans la maison à pleurer, mais Marthe courut à la rencontre de Jésus :

« Seigneur, si tu étais venu, mon frère serait encore vivant, cria-t-elle.
- Il revivra, répondit Jésus.

- Je sais qu'il vivra quand Dieu ressuscitera tous les morts le dernier jour, dit Marthe.
- Celui qui croit en moi vit éternellement, même après sa mort », déclara Jésus.

Marie sortit alors en larmes, accompagnée de tous ceux venus la réconforter. Jésus eut pitié d'elle.
« Qu'on m'emmène voir Lazare », ordonna-t-il.
La tombe de Lazare était une grotte fermée par une grande pierre.
« Enlevez la pierre, dit Jésus.
- Mais Lazare est mort depuis quatre jours, protesta Marthe, nul ne peut plus rien pour lui !
- Tu dois croire en moi si tu veux voir la gloire de Dieu », répondit Jésus.

Les amis des deux sœurs firent rouler la pierre pour ouvrir la tombe. Jésus fit une prière, puis commanda :
« Lazare, sors de ta tombe ! »
Lazare, revenu à la vie, émergea du tombeau.

Le fils prodigue

Jésus parlait à la foule quand il entendit des prêtres grommeler : « Comment se fait-il que cet homme parle à ces mauvaises gens et partage leur repas ? »
Jésus leur répondit : « Le ciel se réjouit lorsque quelqu'un se repent de ses mauvaises actions et reprend le droit chemin.» Et il raconta l'histoire suivante :

« Un riche fermier avait deux fils. Un jour, le plus jeune dit : "Père, la moitié de ce qui t'appartient me reviendra plus tard. Donne-le-moi maintenant."

Bien que mécontent, son père lui accorda ce qu'il demandait et lui remit une grosse somme d'argent.

Le fils partit bientôt pour la ville avec tout son argent. Il s'acheta des habits somptueux et une grande maison remplie de serviteurs. Il eut vite beaucoup d'amis, qu'il invitait à de grandes fêtes, où des mets et des vins délicieux étaient servis en abondance.

Il se croyait très heureux. Mais sa fortune s'épuisa vite. Ses nouveaux amis l'abandonnèrent, on le dépouilla de tous ses biens et ses serviteurs le quittèrent. Il ne lui resta plus rien, pas même ses beaux habits.

Il fut réduit à mendier dans les rues pour pouvoir manger. Mais la nourriture manquait dans la ville et les gens gardaient pour eux le peu qu'ils avaient. Pour la première fois de sa vie, il connut la faim.

Il finit par trouver du travail comme gardien de cochons. Il avait parfois si faim qu'il était tenté de voler la pitance de ses bêtes. Méditant un jour sur son triste sort, il se prit à penser : "Les serviteurs de mon père mangent à satiété, alors que je meurs de faim. Je vais rentrer chez mon père et le supplier de me pardonner."

Après un long voyage, il atteignit sa maison, épuisé, sale et vêtu de hardes. Son père l'aperçut de loin et fut rempli de pitié. Il courut l'embrasser.

"Pardonne-moi, père, dit le fils. J'ai agi comme un sot. Je ne mérite plus d'être ton fils. Laisse-moi devenir l'un de tes serviteurs."

Le père fit entrer son fils. Il ordonna à ses serviteurs de le vêtir de neuf. Il était si heureux qu'il convia tous ses voisins à un grand banquet.

Dans les champs, le fils aîné entendit de loin le bruit des rires et de la musique. Il demanda à l'un des serviteurs ce qui se passait.

"Ton frère est revenu et ton père donne une grande fête pour célébrer son retour", répondit le serviteur.

Le fils aîné se mit en colère et refusa d'entrer dans la maison. Son père vint le trouver pour lui demander de se joindre aux autres convives. Mais le fils s'écria :
"J'ai travaillé dur pour toi pendant toutes ces années, sans jamais rien recevoir. Tu n'as jamais donné de fête en mon honneur ou celui de mes amis. Cependant, dès que mon frère revient, après avoir gaspillé la moitié de ta fortune, tu lui ouvres grand les bras.
- Mon fils, répondit le père. Tu es toujours avec moi et tout ce qui est à moi t'appartient. Essaie donc de comprendre : je croyais ton frère mort, perdu à jamais... et le voilà ! Je suis simplement heureux qu'il me soit enfin revenu sain et sauf." »

L'entrée de Jésus à Jérusalem

Jésus et ses douze disciples partirent un jour à Jérusalem pour la fête de la Pâque juive. En chemin, ils s'arrêtèrent dans le petit village de Béthanie.

Jésus dit à deux de ses disciples :
« Allez dans le village. Vous y trouverez un âne qui n'a jamais été monté. Détachez-le et amenez-le ici. Si quelqu'un vous

arrête, dites : "Le seigneur en a besoin", et on vous laissera partir. »

Les deux disciples firent comme Jésus le leur demandait et ils revinrent bientôt avec l'âne. Ils jetèrent leur pèlerine sur son échine en guise de selle. Puis Jésus monta sur l'animal et prit la direction de Jérusalem, ses disciples marchant à ses côtés.

Lorsque la foule des pèlerins en route pour la ville aperçut Jésus, l'excitation fut à son comble. Certains étendaient leur manteau sur la route. D'autres recouvraient le chemin de feuilles de palmier. Tous criaient : « Béni soit celui qui vient au nom du Seigneur. Gloire à Dieu ! »

Jésus et ses disciples entrèrent dans la ville et suivirent les rues qui menaient au Temple. Puis ils repartirent passer la nuit dans le village de Béthanie.

Le lendemain matin, Jésus revint au Temple pour y prier. On aurait dit un marché, grouillant de monde, chacun occupé à changer de la monnaie, à acheter ou à vendre du bétail et des colombes pour la fête. Indigné de ce manque de respect, Jésus renversa les comptoirs et jeta les marchands dehors avec leurs animaux : « La maison de Dieu est une maison de prière, cria-t-il, vous en avez fait un repaire de voleurs ! »

Quand tout fut de nouveau calme et tranquille, il s'adressa

à la foule pour lui parler de Dieu et se remit à guérir les malades.

Les gouverneurs du Temple décidèrent alors de se débarrasser de Jésus. Ils n'osèrent pas cependant l'arrêter dans le Temple, de peur que le peuple ne le protège. Ils convinrent d'agir secrètement.

Judas Iscariote, l'un des disciples de Jésus, vint les trouver à l'insu de celui-ci. « Que me donnerez-vous si je vous dis quand vous pourrez faire Jésus prisonnier ? » demanda-t-il. Ils lui promirent trente deniers d'argent. Après cette rencontre, Judas Iscariote guetta l'instant propice où il pourrait livrer Jésus aux prêtres du Temple.

La Cène

Quelques jours avant la fête de la Pâque qui commémorait la libération des Juifs de l'esclavage en Égypte, les disciples de Jésus lui demandèrent où ils prendraient le repas traditionnel.

« Allez à Jérusalem, dit Jésus à Pierre et à Jean. Vous y rencontrerez un homme portant une cruche d'eau. Suivez-le chez lui. Nous célébrerons la fête de la Pâque dans une pièce à l'étage. »

Les deux hommes se rendirent à Jérusalem et trouvèrent la maison. Ils firent les préparatifs nécessaires, puis Jésus et les dix autres disciples les rejoignirent.

Avant le repas, Jésus saisit une serviette et une bassine d'eau. Il s'agenouilla devant chaque disciple, lui lavant et lui essuyant les pieds, comme un serviteur. Quand il eut terminé, il dit : « Vous devez être prêts à vous servir l'un l'autre comme je vous ai servis. »

Il se rassit ensuite à la table. Les disciples le regardaient silencieusement. Ils comprenaient que quelque chose n'allait pas et voyaient bien que Jésus était triste, mais ils ignoraient qu'il savait sa fin proche.

Il déclara soudain : « L'un de vous va me trahir. »
Les disciples se dévisagèrent avec horreur : de qui donc pouvait-il parler ? L'un d'entre eux, assis près de Jésus, demanda : « Lequel de nous, Seigneur ?
- Celui à qui je remets ce pain », répondit Jésus.

Il saisit un bout de pain, le trempa dans un plat et le tendit à Judas Escariote.
« Fais ce que tu dois », dit-il.
Judas se leva et se glissa rapidement dehors pour disparaître dans la nuit.

Puis Jésus prit un pain et pria Dieu. Il partagea le pain et en remit un morceau à chaque disciple :
« Ce pain est mon corps, que je vous donne. Mangez-le en souvenir de moi », dit-il.

Puis il prit une coupe de vin, prononça une prière et tendit la coupe à ses disciples en disant :

« Ceci est mon sang que je verse pour les hommes. Buvez-le en souvenir de moi. »

À la fin du repas, Jésus et ses disciples repartirent dans les rues sombres de Jérusalem. Ils se rendirent dans un verger appelé mont des Oliviers. En chemin, Jésus prédit à ses disciples qu'ils s'enfuiraient bientôt en l'abandonnant.

« Plutôt mourir ! » s'indigna Pierre. Jésus lui répondit doucement : « Je dis qu'avant le chant du coq demain matin, par trois fois tu jureras ne pas me connaître. »

Au mont des Oliviers, Jésus demanda à ses disciples de

garder l'entrée pendant qu'il priait. Il s'éloigna avec Pierre, Jacques et Jean, puis les quitta. Il alla prier Dieu de lui donner le courage d'affronter les heures terribles qui l'attendaient.

Quand il revint vers Pierre, Jacques et Jean, il vit qu'ils s'étaient endormis. « Ne pouvez-vous donc rester éveillés encore une heure pour faire le gué ? » demanda-t-il. Puis il s'éloigna de nouveau pour prier. À son retour, il trouva les trois disciples encore endormis.

La troisième fois que Jésus réveilla ses disciples, des voix se firent entendre et des torches apparurent dans la nuit. Les prêtres du Temple, conduits par Judas Escariote et entourés de gardes, venaient arrêter Jésus.

Judas marcha vers Jésus et l'embrassa.
« Voici l'homme que vous cherchez », dit-il aux gardes.

Pierre tira son épée et tenta de défendre Jésus. Il coupa l'oreille d'un des serviteurs du grand prêtre.
« Rentre ton épée », dit Jésus et, touchant l'oreille de l'homme, il la remit en place.

Alors, les disciples prirent peur et s'enfuirent, comme Jésus l'avait prédit. Ils l'abandonnèrent aux gardes qui le ramenèrent à Jérusalem.

Mort sur la croix

Tard dans la nuit, Jésus fut conduit au palais de Caïphe, le grand prêtre. De nombreux chefs juifs étaient là pour le juger.

Pierre suivit secrètement Jésus dans les rues, jusque dans la cour du palais. Il se réchauffait à un feu allumé par des gardes, quand une servante vint le dévisager :
« Tu étais avec Jésus, dit-elle.
- Je ne comprends pas ce que tu veux dire », répondit Pierre.
Puis un autre serviteur s'exclama : « Cet homme était avec Jésus !
- Je ne sais pas de qui tu parles », jura Pierre.

Un autre homme remarqua : « Tu dois connaître Jésus. Je vois bien que tu viens de Galilée.
- Je vous le répète, je ne connais pas cet homme », s'écria Pierre, qui avait de plus en plus peur. Alors un coq chanta trois fois, et Pierre se rappela la prédiction de Jésus.

Honteux de sa conduite, il s'enfuit pleurer dans un coin sombre.

Au palais, les prêtres et les chefs juifs commencèrent le procès de Jésus. Ils firent venir beaucoup de gens qui mentirent et le calomnièrent. Mais toutes leurs histoires se contredisaient. Les chefs juifs cherchaient une excuse pour condamner Jésus, sans rien pouvoir prouver contre lui. Pendant tout ce temps, Jésus refusa de répondre à ses accusateurs.

À la fin, le grand prêtre décida de demander à Jésus s'il était le fils de Dieu.
« Je le suis, répondit tranquillement le prisonnier.
- Vous l'avez entendu, s'exclama le grand prêtre en se tournant vers l'assistance. Cet homme est-il coupable ou innocent d'un crime contre Dieu ?
- Coupable ! » s'écria la foule, et les gens frappèrent Jésus et lui crachèrent dessus.

Le grand prêtre condamna Jésus à mort. Avant d'exécuter sa sentence, il devait cependant l'emmener auprès du gouverneur romain, Ponce Pilate, car celui-ci était le seul à avoir droit de vie ou de mort.

Quand Judas entendit que Jésus allait mourir, il regretta amèrement de l'avoir trahi. Il revint au Temple et jeta à terre les trente deniers d'argent qu'il avait reçus pour donner Jésus. Puis il se pendit.

Au matin, Jésus fut conduit devant Ponce Pilate. Les prêtres savaient que le gouverneur romain ne condamnerait pas un homme à mort pour un crime contre Dieu, alors ils l'accusèrent d'avoir enfreint les lois romaines.

Jésus se tint devant Ponce Pilate, sans répondre à ses questions. Le gouverneur romain comprit qu'il était innocent, mais ne voulut pas mécontenter les chefs juifs en le libérant.

À l'époque, la coutume était que les occupants romains libèrent un prisonnier le jour de la Pâque. Le peuple pouvait choisir la personne à gracier. Ponce Pilate demanda à la foule s'il devait libérer Jésus ou un meurtrier du nom de Barabbas. Les prêtres et les chefs juifs persuadèrent le peuple de désigner Barabbas.

« Mais que dois-je donc faire de Jésus ? » demanda encore Ponce Pilate à la foule.

« Crucifie-le, crucifie-le ! répondirent les cris.
- Quel mal a-t-il fait ? demanda alors le gouverneur.
- Crucifie-le ! » répéta le peuple au comble de l'excitation. Pilate se retourna et se lava les mains dans une bassine d'eau pour montrer qu'il ne serait pas à blâmer de la mort de Jésus. Puis il ordonna de libérer Barabbas et de fouetter Jésus.

Les gardes emmenèrent le prisonnier. Ils le vêtirent d'une robe pourpre, et mirent une couronne d'épines sur sa tête et un bâton dans sa main. Puis ils s'agenouillèrent devant lui en se moquant : « Vive le roi des Juifs ! » crièrent-ils en riant, et ils le battirent et lui crachèrent dessus.

Puis ils lui rendirent ses habits et lui firent traverser les rues de Jérusalem, chargé d'une énorme croix de bois. Affaibli par les coups, Jésus trébucha et tomba à plusieurs reprises. Finalement, un soldat ordonna à un homme du nom de Simon, qui se tenait parmi la foule, de porter la croix pour le condamné. La procession sortit de la ville et gagna une colline appelée Golgotha. Les gardes clouèrent les mains et les pieds de Jésus sur la croix. Ils inscrivirent « Jésus de Nazareth. Roi des Juifs » au-dessus de sa tête. Puis ils élevèrent la croix entre deux autres où se trouvaient deux voleurs condamnés à mort. Jésus regarda les soldats et le peuple autour de lui : « Pardonne-leur, Père, pria-t-il, car ils ne savent pas ce qu'ils font. »

Des ennemis de Jésus étaient présents : « Si tu es vraiment le fils de Dieu, descends de la croix. Alors, nous te croirons ! » disaient-ils en se moquant.
Et les prêtres criaient : « Tu en a sauvé d'autres, pourquoi ne te sauves-tu pas toi-même ? »

Marie, la mère de Jésus, se tenait près de la croix avec Jean, l'un des disciples. Jésus dit à Jean : « Occupe-toi d'elle comme de ta propre mère. » Et Jean protégea Marie pour le restant de sa vie.

À midi, le ciel s'assombrit et le soleil disparut pendant trois heures. La foule attendait en silence. À trois heures, Jésus leva les yeux et s'écria :

« Mon Dieu, pourquoi m'as-tu abandonné ? » Puis sa tête retomba et il expira. Au même moment, la terre se mit à trembler et le rideau du Temple se déchira de haut en bas. La peur s'empara du peuple et des soldats. Un soldat romain regarda Jésus et s'écria : « Cet homme était vraiment le fils de Dieu ! »

La foule s'éloigna. Marie, la mère de Jésus, Marie-Madeleine, la mère de Jacques et d'autres compagnons de Jésus demeurèrent sur le Golgotha. Pour vérifier que Jésus était bien mort, un soldat plongea sa lance dans ses côtes. Puis son corps fut descendu de la croix.

Un homme riche d'Arimathée, du nom de Joseph, qui croyait en Jésus, demanda à Ponce Pilate la permission de le mettre au tombeau. Pilate accepta.

Joseph et d'autres amis de Jésus enveloppèrent le corps dans un linceul. Puis ils le déposèrent dans une tombe fraîchement taillée dans la roche d'un jardin en dehors de Jérusalem. Ils roulèrent une lourde pierre devant la tombe pour la fermer. C'était vendredi soir. Le sabbat juif commençait au coucher du soleil. Ils devaient donc attendre le surlendemain pour la cérémonie funèbre.

Les chefs juifs dirent à Ponce Pilate qu'ils craignaient que quelqu'un ne vole le corps de Jésus pour prétendre qu'il était de nouveau vivant. Pilate fit sceller la tombe et y posta des soldats pendant la nuit.

La tombe désertée

Le dimanche matin à l'aube, Marie-Madeleine ainsi que deux autres femmes se rendirent à la tombe de Jésus pour y préparer son corps pour l'enterrement. Elles se demandaient comment elles allaient déplacer l'énorme pierre qui bloquait l'entrée.

Quand elles atteignirent la tombe, quelle ne fut cependant pas leur surprise de voir la pierre roulée sur le côté et les soldats partis. Un homme habillé de vêtements éblouissants apparut devant elles et leur dit : « Jésus n'est pas ici. Il est vivant. » Les femmes virent en effet que la tombe était vide.

Stupéfaites et prises d'effroi, Marie-Madeleine et ses

compagnes coururent aussitôt prévenir les disciples Pierre et Jean : « Le corps du Seigneur a disparu ! » crièrent-elles.

Pierre et Jean se précipitèrent vers la tombe. Arrivé en premier, Jean n'osa y pénétrer, mais Pierre entra tout de suite à l'intérieur et vit le tombeau déserté. Seul demeurait le linceul de Jésus. Ne sachant pas si le corps avait été volé ou si Jésus avait vraiment ressuscité, les deux hommes, perplexes, rentrèrent chez eux.

Marie-Madeleine revint seule à la tombe. Agenouillée dehors, elle se mit à pleurer. Jésus parut à ses côtés et lui demanda : « Qu'as-tu donc à pleurer ? Qui cherches-tu ? » La tête baissée, elle le prit pour un jardinier et répondit : « Je pleure parce que mon Seigneur a été enlevé. Je t'en prie, dis-moi où il se trouve ! »

Jésus l'appela alors par son nom. Marie leva les yeux : « Seigneur ! s'exclama-t-elle.
- Va et dis à mes amis que tu m'as vu, dit Jésus, et que je serai bientôt au Ciel aux côtés de mon Père. »
Éperdue de joie, Marie-Madeleine courut annoncer aux disciples la bonne nouvelle.

Sur la route d'Emmaüs

Ce soir-là, deux amis de Jésus marchaient sur la route qui menait de Jérusalem au village d'Emmaüs. Ils parlaient de Jésus.

Bientôt, Jésus les rejoignit et se mit à marcher à leurs côtés. Mais ils ne le reconnurent pas et crurent que l'homme était un étranger.

« Pourquoi êtes-vous si tristes ? leur demanda-t-il.
- Es-tu donc la seule personne dans tout Jérusalem à ignorer ce qui vient de se passer ? s'exclama l'un des hommes, qui s'appelait Cléopas.
- Pourquoi ? Que s'est-il passé ? s'enquit l'étranger.
- L'homme dont nous parlons s'appelait Jésus de Nazareth, répondit l'autre voyageur. C'était un grand prophète. Nous pensions que Dieu l'avait envoyé pour sauver notre peuple. Hélas, nos prêtres et les occupants romains ont déclaré qu'il avait enfreint la loi et l'ont condamné à mort. Ils l'ont crucifié vendredi. Mais

aujourd'hui, des femmes ont trouvé sa tombe vide. Elles prétendent que des anges sont venus leur dire que Jésus était vivant. »

L'étranger expliqua que tout ceci avait été annoncé autrefois par les prophètes.

La nuit tombait quand ils atteignirent Emmaüs. Les deux hommes invitèrent leur compagnon à rester dans le village et à partager leur souper.

Lorsqu'ils s'assirent à table, l'étranger prit du pain, il prononça une prière, puis partagea le pain et le tendit aux deux hommes. Alors ceux-ci stupéfaits reconnurent Jésus, qui disparut.

Les deux amis se levèrent de table et retournèrent en courant à Jérusalem. Là, ils vinrent trouver les disciples. Ils leur dirent qu'ils avaient vu Jésus, qu'ils lui avaient parlé et qu'il était vivant. Les disciples ne voulaient pas les croire, mais l'un d'entre eux déclara : « Ce doit être la vérité. Pierre aussi a vu Jésus. »

Ils verrouillèrent la porte de crainte d'une attaque par les soldats romains ou par les gardes des prêtres. Soudain, Jésus apparut dans la pièce. Ils crurent voir un fantôme et la peur les envahit.

Jésus dit : « Ne craignez rien. Regardez les blessures sur mes mains et sur mes pieds. Touchez-moi, et vous verrez que c'est bien moi en chair et en os. » Alors, ils surent que c'était bien Jésus.

« Avez-vous quelque chose à manger ? » demanda-t-il. Ils lui donnèrent du poisson grillé et un peu de miel et le regardèrent manger. Enfin, ils furent convaincus qu'il était bien vivant. Jésus leur expliqua que ceci était la volonté de Dieu et avait été prédit autrefois par les prophètes.

« Le Christ doit mourir et ressusciter le troisième jour, dit-il. Dieu pardonne à tous ceux qui croient en Lui. Tel est son message aux peuples du monde. Vous devez partir l'annoncer à la Terre entière. »

Thomas l'incrédule

Thomas, l'un des disciples, ne se trouvait pas avec les autres lorsqu'ils virent Jésus. Il refusa de croire qu'il était vivant.
« Je ne vous croirai que quand je verrai les marques des clous sur ses pieds et sur ses mains et que je toucherai la plaie à son côté », déclara-t-il.

Une semaine plus tard, Thomas était avec d'autres disciples dans une pièce fermée à clé. Tout à coup, Jésus apparut :
« Thomas, dit-il, pose ton doigt sur les marques de mes mains et sur la blessure de mon flanc. Ne doute plus et crois ce que tu vois. »

Thomas n'eut pas besoin de toucher Jésus. Il s'écria :
« Mon Seigneur et mon Dieu !
- Tu crois maintenant parce que tu me vois de tes propres yeux, continua Jésus. Mais plus heureux encore sont ceux qui ne m'ont pas vu et qui croient quand même en moi. »

Le déjeuner près du lac

Au cours des semaines suivantes, ses disciples et ses amis virent souvent Jésus. Un soir, Pierre et d'autres disciples quittèrent Jérusalem et se rendirent au lac de Génésareth. Ils s'embarquèrent sur le lac pour y pêcher. Au matin, alors qu'ils rentraient bredouilles, ils aperçurent un homme sur la berge. C'était Jésus, mais ils ne le reconnurent pas.

« Avez-vous fait bonne pêche ? leur cria-t-il.
- Non, nous n'avons rien pris, répondirent-ils.
- Jetez vos filets à droite de votre bateau », leur recommanda alors Jésus. Ils suivirent son conseil. Le filet se remplit de tant de poissons qu'ils ne purent le sortir de l'eau.

L'un des disciples dit : « Ce ne peut être que Jésus. »

Pierre sauta aussitôt par-dessus bord et nagea vers la rive. Les autres hommes le rejoignirent avec le bateau, tirant le filet derrière eux. Jésus avait allumé un feu et il y fit griller quelques poissons.

« Venez manger », dit Jésus. Il leur donna le poisson grillé et du pain. Aucun d'entre eux n'osait lui demander son nom, mais ils savaient tous que c'était Jésus.

Le repas terminé, Jésus demanda à Pierre : « M'aimes-tu ?
- Tu sais que je t'aime », répondit Pierre sans hésitation.
Jésus répéta encore deux fois sa question et Pierre répondit oui à chaque fois. Et chaque fois, Jésus lui dit de bien prendre soin de ceux dont il était le berger.

Le vent et le feu

La dernière fois que les disciples virent Jésus, ce fut en dehors de Jérusalem, sur le mont des Oliviers. Il était venu leur faire ses adieux.

« Rentrez à Jérusalem, leur ordonna-t-il. Attendez et Dieu vous enverra bientôt le Saint Esprit. Il vous donnera le courage de parler de moi et de ce que je vous ai enseigné. Vous vous adresserez au peuple, à Jérusalem, dans le reste du pays et dans le monde entier. Où que vous alliez, je serai toujours avec vous. »

Un nuage le cacha alors à leur vue et Jésus monta au Ciel. Les disciples levèrent les yeux et virent deux hommes en blanc qui leur dirent : « Jésus est parti rejoindre Dieu, mais il reviendra un jour. »

Les disciples revinrent heureux à Jérusalem, où ils attendirent comme Jésus le leur avait commandé.

Le jour de la fête juive de la Pentecôte, ils se trouvaient dans une maison avec d'autres amis de Jésus, sa mère Marie et d'autres femmes, quand ils entendirent soudain comme un violent coup de vent traverser la pièce, mais sans qu'ils sentent de courant d'air. Puis des flammes monstrueuses les couronnèrent, mais sans qu'ils soient brûlés.

Ils comprirent que Dieu venait ainsi de leur donner le pouvoir d'enseigner sa parole. Ils se précipitèrent dans les rues de Jérusalem. Ils parlèrent de Jésus et de ses accomplissements. Pour se faire comprendre de tous, ils s'exprimaient soudain dans toutes sortes de langues qu'ils n'avaient jamais apprises auparavant. Ils dirent aux gens de se baptiser au nom de Jésus, de se repentir pour les mauvaises actions qu'ils avaient commises, de croire que Jésus était mort pour eux, et que Dieu les aiderait toujours et demeurerait à leurs côtés.